L'hindouisme

QUE SAIS-JE ?

L'hindouisme

LOUIS RENOU
Professeur à la Sorbonne

Quatorzième édition

93e mille

DU MÊME AUTEUR

PRINCIPALES PUBLICATIONS

Les Maîtres de la philologie védique, Geuthner, 1928.
Grammaire sanscrite, 2 vol., Adrien-Maisonneuve, 1930, rééd. 1961.
Dictionnaire sanskrit-français, Adrien-Maisonneuve, 1932, rééd. 1959.
La Durghatavritti *de Çaranadeva*, 4 vol., Belles-Lettres, 1942-46.
La Poésie religieuse de l'Inde antique, Presses Universitaires, 1942.
Terminologie grammaticale du sanskrit, 3 vol., Champion, 1942.
Les Ecoles védiques, Société asiatique, 1947.
Anthologie sanskrite, Payot, 1947.
Sanskrit et culture, Payot, 1949.
L'Inde classique : Manuel des études indiennes, t. I, Payot, 1949, rééd. 1985 ; t. II, 1953, rééd. 1985.
La Grammaire de Pânini, t. I, Klincksieck, 1948 ; t. II, 1951 ; t. III, 1954.
La Civilisation de l'Inde ancienne, Flammarion, 1950, rééd. 1981.
Grammaire de la langue védique, I.A.C., 1952.
Histoire de la langue sanskrite, I.A.C., 1956.
Etudes védiques et pâninéennes, 17 vol., Boccard, 1955-1969.
Littérature sanskrite, Encyclopédie de la Pléiade, Paris, 1955.
Contes du Vampire, Gallimard, 1963, rééd. 1985.
L'Inde fondamentale, Paris, Hermann, 1978.

ISBN 2 13 052170 3

Dépôt légal — 1re édition : 1951
Réimpression de la 14e édition : 2004, août

CHAPITRE PREMIER

LA RELIGION VÉDIQUE

1. Généralités. — Le védisme ou religion du Véda représente l'aspect le plus ancien sous lequel nous sont attestées les formes religieuses dans l'Inde. Les textes védiques, qui sont les premiers monuments littéraires de l'Inde (et parmi les plus anciens de l'humanité), livrent en même temps le témoignage le plus archaïque de la religion qu'on appelle tantôt le brahmanisme, tantôt l'hindouisme. S'il fallait délimiter les deux mots, le mot brahmanisme devrait désigner la religion des époques anciennes, et se confondre par suite, en partie ou en totalité, avec le védisme ; le terme d'hindouisme viserait plutôt l'évolution religieuse dans son ensemble, soit à partir du Véda, soit après la période védique.

La religion védique est celle que les envahisseurs âryens portaient avec eux quand ils firent irruption dans l'Inde du Nord-Ouest (le Panjâb, bassin du haut Indus) entre 2000 et 1500 avant notre ère. Le fond en remonte à des données qui se laissent caractériser comme « indo-iraniennes » : on les retrouve quand on observe ce qui dans l'Iran est antérieur à la réforme de Zoroastre et, en même temps, homologue aux faits connus dans l'Inde « védique » : c'est, à savoir, la croyance en certaines notions fondamentales, en une double hiérarchie divine — les *daivas* et les *asuras* — ; d'autre part, le culte du Feu, les sacrifices animaux, les sacrifices de *soma* (p. 14). Mais, par delà cette religion indo-iranienne, qui n'a été qu'une étape, il y a un plan indo-européen. La religion indo-européenne consistait en un réseau de croyances déjà complexes, à la fois naturalistes, rituelles, « sociales » ; sous un certain angle, elles étaient réparties en fonctions : une fonction proprement religieuse, sacerdotale et juridique, une fonction représentant le pouvoir temporel, une autre enfin de type économique.

Mais la religion védique ne s'explique que dans une assez faible mesure par ce double héritage indo-iranien ou indo-européen. Au contact d'éléments autochtones ou par l'effet d'une rapide évolution interne, les formes anciennes se sont enrichies ou altérées ; elles ont absorbé une partie de ce qu'on peut appeler l'hindouisme « primitif » — duquel nous ne connaissons rien, sinon précisément les vestiges qu'on en rencontre dans la religion védique et qui s'éclairent quand on les compare à des faits attestés dans l'Inde ultérieure.

2. **Les textes.** — Les seuls monuments de la religion védique sont des textes, qui sont de date et d'inspiration très variées. Ces textes forment un ensemble exceptionnellement ample et important, même si ce qui nous en a été conservé ne représente, d'après la tradition, qu'une faible partie de ce qui existait à l'origine. En effet, cette littérature nous a été transmise répartie en écoles, que la tradition appelle des « branches » ; écoles qui furent d'abord au nombre de quatre d'après la fonction quadruple des officiants chargés des cérémonies, puis ont été scindées en autres « branches » d'après les enseignements particuliers auxquels a donné lieu le développement progressif de la pratique religieuse et son extension à travers toute l'Inde. Or ni toutes les écoles primitives, ni toutes les branches secondaires (ni la totalité ou l'intégrité des textes dans une même branche) ne nous sont parvenues, il s'en faut de beaucoup.

Les textes les plus importants, et d'ailleurs les plus anciens, sont les quatre « recueils » (*Samhitâ*) formant ce qu'on appelle les quatre Védas. Le mot *veda*, qui signifie « savoir », s'emploie aussi, au sens large, pour désigner tout ou partie de la littérature ultérieure, fondée sur l'une ou l'autre des quatre *Samhitâs*.

Ce sont : 1) Le *Rig-Veda* ou « Véda des strophes », le plus ancien document des littératures indiennes : groupement d'environ mille hymnes aux divinités, qui figure une sorte d'anthologie obtenue en réunissant les pièces conservées par de vieilles familles sacerdotales ; la plupart de ces hymnes se réfèrent plus ou moins directement au sacrifice de *soma* (p. 14) ; quelques-uns pourtant n'ont qu'une attache faible ou nulle avec le culte ;

2) Le *Yajur-Veda* ou « Véda des formules » qui nous est transmis en plusieurs recensions : les unes combinent avec les « formules » accompagnant la liturgie des éléments d'un commentaire en prose — c'est ce qu'on appelle le *Yajur-Veda Noir* ; les autres ne donnent que les formules, c'est le *Yajur-Veda Blanc* ;

3) Le *Sâma-Veda* ou « Véda des mélodies » est un recueil de strophes comme le *Rig-Veda*, auquel d'ailleurs ces strophes sont empruntées en presque totalité : mais elles sont arrangées en vue de l'exécution du chant sacré et comportent des notations musicales ;

4) Enfin l'*Atharva-Veda* est un recueil analogue, lui aussi, au *Rig-Veda*, mais de caractère partie magique, partie spéculatif. La tradition parle le plus souvent de « trois Védas » ou de la « triple science », parce qu'elle considère implicitement l'*Atharva* comme étranger à la haute dignité qui est le propre des « trois Védas ».

Viennent ensuite, dans l'ordre chronologique, les *Brâhmanas* ou « Interprétations sur le *brahman* », commentaires en prose expliquant soit les rites, soit les formules accompagnantes. Il en existe attachés aux différents Védas, et même deux ou plus de deux pour tous les Védas, sauf pour l'*Atharva*.

Ces deux premières tranches de la littérature védique forment ce qu'on appelle la *çruti* ou « révélation » : autrement dit, elles passent pour être d'origine divine, résulter d'une communication par « voyance » faite à certains humains privilégiés. La *çruti* comporte encore des textes plus brefs, compléments naturels des *Brâhmanas*, les *Âranyakas* ou « Traités forestiers », propres à être récités loin des agglomérations ; et les *Upanishads* ou « Approches », qui s'engagent dans le vif des spéculations.

Les autres documents du védisme appartiennent à la *smriti*

ou « tradition mémorisée » : ce sont d'abord les *Sûtras* ou « Aphorismes », c'est-à-dire des textes rédigés en un style très serré, destinés à être appris par cœur par les apprentis liturgistes. Il en a été compilé un grand nombre, pour les différentes « branches », soit dans l'ordre des cérémonies solennelles, soit dans l'ordre du rituel « domestique » ; d'autres encore résument des enseignements plus généraux, traçant l'ébauche d'un droit civil et pénal qui sort peu à peu de la gangue des prescriptions sacerdotales.

La littérature s'achève par des séries de textes, écrits tantôt en style d'aphorisme, tantôt en prose courante, éventuellement en versets : ils complètent ce qu'il faut savoir pour devenir un ritualiste accompli : traités de métrique, de phonétique, d'astronomie, listes diverses et tables des matières méthodiques, etc.

L'ensemble est rédigé en sanskrit (1), mais en un sanskrit archaïque qui contient nombre de particularités perdues ensuite ; les Hymnes et les « formules » en général (ce qu'on englobe sous le nom de *mantra*) sont d'un archaïsme beaucoup plus prononcé que la prose qui a suivi. Mais, dans l'ensemble, la chronologie interne n'est pas facile à établir. Quant à la chronologie absolue, elle n'est pas non plus très assurée. La rédaction du *Rig-Veda* peut se situer par hypothèse vers le Xe ou le XIIe siècle avant notre ère ; les derniers textes védiques, c'est-à-dire les « annexes » du Véda et les grandes *Upanishads* doivent être du VIe ou du Ve siècle ; néanmoins la préparation des textes remonte beaucoup plus haut, et des traités védiques isolés ont été compilés plus tard. La transmission, la confection même, ont été orales ou du moins n'ont comporté l'écriture qu'à titre d'adjuvant : aujourd'hui encore les récitateurs qui subsistent à travers l'Inde conservent oralement de vastes portions du Véda, dans des conditions d'une surprenante exactitude.

3. Les croyances : mythologie. — La religion védique consiste d'abord en une mythologie, fort élaborée. Les dieux du Véda, tels que les décrit principalement le *Rig-Veda*, sont des êtres actifs, intervenant

(1) Prononciation des mots sanskrits :
u se prononce *ou* ;
c et *j* se prononcent *tch* et *dj* ;
g a toujours le son de *g* dur *(gu)* ;
ç équivaut au son de l'allemand *ch* dans *ich*.

volontiers dans les affaires humaines. Convenablement invoqués, gratifiés de belles offrandes, ils sont secourables ; sinon, dangereux, et plusieurs d'entre eux sont naturellement ambivalents. On en dénombre en général trente-trois, divisés, dès l'antiquité, en dieux terrestres, dieux de « l'espace intermédiaire » (atmosphère), dieux célestes. Une division plus pertinente serait celle par fonctions : dieux souverains, dieux guerriers, patrons de la fonction « économique » (agriculture, élevage, artisanat), mais ceci n'atteint qu'une petite partie des faits. En réalité, les attributions sont multiples, et le formulaire même, les exigences du panégyrique, ont aidé à les diversifier ; on a doté la divinité qu'on célébrait à un moment déterminé de tout ou partie des fonctions afférentes aux autres dieux, en sorte que la mythologie védique est devenue une chose brouillée, mal déchiffrable au premier abord.

A l'arrière-plan du panthéon réside Dyaush Pitar, le Ciel Père, équivalent du Jupiter romain, mais c'est une figure bien pâle, comme la déesse Terre ou le couple Ciel-Terre, souvent invoqués pourtant. Plus proche, mais encore en retrait, est la figure formidable de Varuna, dieu souverain, mainteneur des lois cosmiques et morales, épieur des coupables qu'il ligote avec ses lacets ; il a un côté dangereux, presque sinistre. On lui associe souvent un autre souverain, Mitra, dieu des contrats et de la majesté juridique. Varuna et Mitra sont les premiers d'entre les Âdityas, suite de sept ou huit entités qui passent pour les descendants d'Aditi, vague ébauche d'une Déesse-mère.

Le rôle prééminent est dévolu à Indra, dont les exploits merveilleux nous sont décrits sans cesse : il a vaincu des foules d'ennemis humains ou démoniaques, aidé de princes alliés ; sur un plan plus naturaliste, il a de son foudre tué le dragon qui bloquait les eaux, il a conquis le soleil, délivré les aurores prisonnières, etc. L'origine d'Indra, où certains ont vu le typique dieu « âryen », reste douteuse.

Parmi ses alliés sont les Maruts, troupe de jeunes hommes qui chevauchent les nuées, font l'orage et la pluie. On les appelle aussi des Rudras, c'est-à-dire des fils de Rudra. Cette donnée nous achemine vers l'une des plus étranges figures du védisme : Rudra, dieu essentiellement redoutable, même (et surtout) quand on l'appelle *çiva* « le bienfaisant » ; il est vrai que, d'autre part, il est guérisseur, et les invocations qu'on lui adresse empruntent à cette double qualité une nature toute spéciale. D'autres personnalités, généralement alliés d'Indra eux aussi, sont le couple des Açvins ou Nâsatyas, qui parcourent le ciel sur leur char, marquant par leur passage l'aurore et le crépuscule ; ils équivalent aux Dioscures de la mythologie grecque.

On ne sait au juste si la Lune fait l'objet d'une vénération directe, mais les représentations solaires, en tout cas, tiennent une place immense, avec les figures de Sûrya le Soleil, de Savitar l'Incitateur. Vishnu, qui traverse l'univers en trois enjambées, représente un mythe solaire, comme d'autres encore; et l'Aurore est divinisée de manière transparente sous le nom de la gracieuse déesse Ushas. Il y a le Vent avec Vâyu, l'orage avec Parjanya.

Un autre groupe d'êtres, sans se distinguer radicalement des précédents, a son point de départ dans des objets concrets, visibles aux humains et proches d'eux : c'est Soma, personnifiant la liqueur du même nom (p. 14) ; c'est Agni, qui est d'abord le « feu » allumé par les hommes, puis le feu du soleil, celui des nuées, celui qui se cache dans le bois, dans les plantes, dans les eaux. Soma et Agni sont devenus des personnages démesurés, auxquels se relient des notions multiples.

A un rang secondaire, Pûshan, le dieu qui guide hommes et bêtes ; Brihaspati le « maître de la formule » ; Tvashtar et les trois Ribhus, dieux artisans. Les fonctions sont d'ailleurs peu spécialisées. Et les individus sont mal séparables, parfois, de noms d'objets, de plantes, qui se trouvent temporairement ou non promus au rang divin. En revanche, il n'y a guère de figures féminines ; la notion d'épouse divine n'est pas accréditée. Les démons fourmillent, mêlés à des souvenirs d'ennemis humains, mais il n'y a pas de notion démoniaque centrale ; le plus important, Vritra, ennemi d'Indra, personnifie la « résistance ». Les couples, les groupes anonymes, sont fréquents. Les Asuras, d'abord des dieux souverains, s'orientent peu à peu, dès le *Rig-Veda* tardif, vers la démonialité, à mesure que le culte des *devas* se consolide. D'anciens sacrificateurs, des Pères, sont élevés çà et là au rang divin.

Au-dessus des dieux ou à l'écart, de grandes forces abstraites animent le monde, la principale étant le *rita*, « ordre » cosmique et « ordre » rituel ou moral à la fois.

4. La cosmologie. — La cosmologie est représentée par des notions plutôt vagues ; de même la cosmogonie, qui décrit par diverses métaphores et mythes avortés l'œuvre de la création du monde. Il y a quelques idées, parfois précises, sur un principe spirituel équivalant à ce que nous appelons l'âme. S'il n'y a guère d'image stable des enfers, le paradis est assez nettement défini comme le monde de « l'œuvre pie » ; on y accède par « la voie des dieux » ; il est situé au troisième ciel et fait de félicités toutes matérielles. D'ailleurs, l'homme « védique » ne demande rien au delà de la vie présente, de la vie de cent années qu'il souhaite : il n'a pas de claire vision de renaissances éventuelles, quand bien même certaines allusions ambiguës se laisseraient interpréter en ce sens. Yama, le premier des humains, par conséquent le premier de ceux qui sont morts, est devenu (ensuite ?) le roi des morts, maître du monde souterrain ou encore, selon une autre évolution, le souverain du paradis.

Dans les *Brâhmanas* (p. 7), c'est la personnalité de Prajâpati « le maître des créatures » qui a absorbé presque toute la cosmogonie : en même temps que le Créateur, il est le Sacrifice personnifié, celui qui rassemble les structures éparses pour accomplir le *rita.* Mais, parallèlement, l'imagination mythique, déjà fort amenuisée dans l'*Atharva-Veda,* s'est raréfiée, cédant la place, sur le plan des textes tout au moins, à la spéculation de tendance philosophique.

5. **La spéculation.** — Dès le *Rig-Veda* et surtout dans les Hymnes les plus récents du recueil, on voit s'amorcer des spéculations sur le principe unique, neutre, qui est à l'origine du monde et qui rend compte de la pluralité des choses. D'autre part, la formule sacrée qui, dans ses formes les plus acérées, s'appelle le *brahman* (nom neutre également) tend à s'exalter en un principe majeur : ce principe, dégagé de toute contingence mythique et rituelle, fournira, dès les *Brâhmanas,* la notion d'âme universelle, d'absolu. Ce type de spéculations trouve son apogée dans les *Upanishads* qui, sans abolir pour autant la pensée mythogène des âges plus anciens, s'astreignent à la resserrer de proche en proche dans le cadre d'équivalences, d'identifications entre microcosme et macrocosme. La recherche des équivalences était déjà à la base de la pensée du *Rig-Veda,* mais il n'y

avait à cette époque ni système, ni aboutissement. Désormais le point d'arrivée est visible : reconnaître que l'âme individuelle *(âtman)* est, dans son essence réelle, identique à l'âme universelle *(brahman)*. C'est ce qu'exprime l'équation fameuse *tat tvam asi* « tu es cela », c'est-à-dire, toi, individu, tu es semblable à celá, principe universel. Voilà la « vérité des vérités », celle qui conduit à la Délivrance. Alors que les Hymnes ignoraient la « délivrance », que les *Brâhmanas* se bornaient à demander de ne pas « remourir » (au terme de l'existence actuelle) et préconisaient les œuvres, les *Upanishads* exaltent la connaissance ; la religion y tend vers la gnose. Mais il est trop clair que les mythes et le rituel ont subsisté longtemps après, et qu'en définitive, le mouvement hardi de réflexion inauguré par les *Upanishads* a été le propre de cercles restreints, plus ou moins ésotériques.

6. **Les rites.** — Si nous connaissons la mythologie par le *Rig-Veda*, la spéculation surtout par les *Upanishads*, tous ces textes ont peu à nous apprendre sur le culte. Il faut consulter ici les *Brâhmanas* et, plus encore, les *Sûtras* qui le décrivent avec une minutie exemplaire. Il ne s'ensuit nullement que certaines formes, assez élaborées, de pratique religieuse n'aient pas existé dès les débuts de la période védique, et d'ailleurs il ne serait pas impossible d'en restituer les lignes générales.

Le culte védique repose sur le sacrifice. Hommage solennel à la divinité, le sacrifice s'exécute sous forme d'une cérémonie plus ou moins longue, qui a pour point culminant les offrandes faites au Feu. Le but est d'entrer en communication avec le monde divin, de s'en assurer le concours pour obtenir certains avantages, généraux ou spéciaux. Il est vrai qu'il existe des sacrifices « fixes », répondant à des dates du calendrier, et ne comportant pas en principe de mentions votives : mais ces sacrifices (ou telle ou telle portion d'entre eux) peuvent aisément se charger d'une affectation votive. La prière est insérée dans le sacrifice, en ce sens qu'elle s'exprime par les « formules » accompagnant les actes et manœuvres ; elle n'a pas d'expression indépendante.

L'offrande, qui consiste tantôt (le plus souvent) en produits de la culture ou de l'élevage — grains de riz ou autres, lait, *ghrita* ou « beurre fondu » —, tantôt en morceaux d'une victime animale (d'ordinaire, le bouc), est en partie jetée au feu, en partie consommée par les officiants et par le « sacrificateur » laïc qui s'est assuré leur concours et qui fait faire l'acte à son profit. Une autre oblation qui domine dans les cérémonies les plus importantes est celle du *soma*, plante à propriétés exaltantes, de caractère assez mystérieux, dont le pressurage fait l'objet d'une suite complexe d'opérations.

Le véhicule de l'offrande est le feu, dont l' « institution » elle-même forme une cérémonie autonome. Les sacrifices ont lieu d'ordinaire à l'aide de trois feux, disposés autour d'une excavation légère qui joue le rôle d'un « autel ».

Le laïc assiste au sacrifice avec sa femme ; il prononce même quelques formules, mais son rôle essentiel est de répartir les honoraires (qui peuvent atteindre des dimensions fabuleuses) affectés aux divers officiants. Ces derniers sont dirigés par le *brahman*, qui surveille en silence et avise dès qu'il se produit une erreur ou un accident ; le *hotar* verse les oblations et récite les séquences tirées du *Rig-Veda* ; l'*udgâtar* chante les strophes empruntées au *Sâma-Veda* ; enfin l'*adhvaryu* procède aux innombrables gestes et récitations qui, en accord avec le

Yajur-Veda, composent la texture même du sacrifice. Au total, aides compris, il y a jusqu'à seize ou dix-sept officiants.

Le terrain sacrificiel est une aire ouverte, sacralisée pour chaque nouvelle cérémonie ; il n'y a pas plus de temple que d'image. Parmi les instruments du culte, cuillers et vases aux fonctions bien déterminées, notons les « tessons » de brique mis sur le feu, sur lesquels on étale la pâte.

Le rite solennel le plus court est l'*Agnihotra* ou « Oblation au feu » : simple offrande de lait à Agni, exécutée par le prêtre manuel et le laïc, matin et soir. Plus complexe est le sacrifice des pleine et nouvelle lunes, type des oblations végétales servant de norme à toutes les autres et requérant deux officiants. Les rites quadrimestriels accompagnent les changements de saisons et se divisent en trois séries (avec une quatrième en annexe), parsemées de traits populaires. Il y a un rite des prémices et la masse des rites votifs ou expiatoires qui reposent sur le schéma du sacrifice des quinzaines lunaires.

Le Sacrifice animal, l'immolation (par étouffement) d'un bouc, s'inspire aussi du précédent, et figure soit à l'état indépendant, soit comme partie intégrante des sacrifices de *soma*. Ceux-ci sont les plus solennels de tous : le type de base ou *Agnishtoma* est une suite de trois pressurages, matin, midi et soir, précédée de longs préliminaires (consécration du laïc et de l'épouse, achat du *soma*, installation des foyers et des autels) ; la cérémonie proprement dite consiste en oblations entrecoupées de récitations et de chants, et tous les officiants y participent. Une partie singulière de l'*Agnishtoma* est le *Pravargya*, offrande aux Açvins de lait chauffé dans un vase consacré. Il existe des liturgies plus développées, durant de deux à douze jours, et même des « sessions » qui s'étendent sur une année entière, théoriquement sur douze. La « grande observance » est une fête de solstice d'hiver au cours de la session annale dite « la marche des vaches ».

Viennent enfin les féries qui, sans se différencier très à fond des précédentes — ce sont aussi des sacrifices de *soma* —, répondent à des événements de la vie du roi : le *Râjasûya* ou « Consécration du roi », aspersion du nouvel élu par l'officiant et par les représentants du peuple ; le *Vâjapeya* ou « Breuvage de force », fête religieuse du prince victorieux, qui comporte une course de chevaux attelés à dix-sept chars ; enfin l'*Açvamedha* ou « Sacrifice du cheval », le plus grandiose de tous et dont les préliminaires s'étendent sur une année ou même deux.

A côté du *soma*, liqueur noble, il existait la *surâ*, alcool grossier qui servait d'offrande dans un rite particulier. Enfin certaines cérémonies sont précédées de l'érection d'un monument de briques, avec force oblations et déploiement d'une symbolique étendue.

7. **Les rites domestiques et la magie.** — Les rites solennels sont les rites proprement védiques. Les autres, et d'abord l'ensemble des rites dits privés ou « domestiques », ne sont guère, en dépit des apparences, que des rites hindouistes qui se sont frayé leur voie dans le Véda. Ils sont exécutés par le chef de famille sur le foyer de la maison, sans concours d'aucun officiant, sauf exception. Ce sont de brèves offrandes journalières de riz et d'orge à certaines divinités ; certaines (les *balis*), au lieu d'être versées au feu, sont répandues sur le sol ou jetées en l'air ; ce sont des rites mensuels, saisonniers, votifs, expiatoires ; des offrandes au serpent ; des rites d'hospitalité ; des fêtes agricoles, etc.

D'un autre côté, les « sacrements » appartiennent aussi à cette catégorie, c'est-à-dire les diverses consécrations qui marquent la vie de l'Indien depuis la naissance (et même avant) jusqu'à la mort et ses au-delà. Les pratiques purificatoires sont plus en évidence que dans le rituel du grand culte. Comme ces pratiques sont demeurées à peu près constantes d'un bout à l'autre de la tradition indienne, nous en parlerons en une seule fois plus loin (p. 78).

De même (p. 82) pour la magie, qui s'est accréditée à côté du rituel normal, s'est insérée même dans ce rituel par voie d'une simple substitution. En fait, cependant, il s'agit de tout autre chose : le sorcier (qui, quand il a affaire au prince, prend le titre de « chapelain ») opère pour le compte d'un individu, sans que la société, sans qu'aucune norme intervienne, et le but est moins de demander que d'exercer une contrainte ; si une symbolique extensive est en usage, par contre les divinités, l'appareil habituel du culte sont relégués à un rang subalterne ou même annulés. A côté de la magie, il existe des pratiques largement répandues de divination, utilisant le rêve, les signes célestes, le comportement de certains animaux, etc. Enfin il n'est guère douteux, bien que les documents ne soient pas explicites, qu'il y avait des formes d'ascétisme, anticipant sur le *Yoga* de l'Inde classique.

8. **Conclusion.** — La religion védique a développé certains aspects de la vie religieuse au détriment d'autres aspects qui, pour nous du moins, demeurent dans l'ombre. Religion toute de rite, elle ignore l'élément « foi » : la « foi » *(çraddhâ)* n'est guère que l'exactitude rituelle et la confiance qu'on a en son efficacité ; l'erreur est la faute majeure ; l'impératif

moral est de donner, de pratiquer les œuvres. Cependant certains Hymnes (à Varuna notamment) semblent indiquer d'autres tendances, que les *Brâhmanas* ont temporairement supprimées, mais qui nous acheminent vers les formes ultérieures : on peut dire avec quelque raison que presque tout dans le Véda est en germe, de ce que l'Inde fera fructifier plus tard. Les Hymnes, quelle que soit l'interprétation à donner à tant de passages difficiles ou désespérés, attestent à n'en pas douter une ferveur, un dynamisme, dont la rigueur calculée des textes plus récents ne doit pas faire oublier la présence latente.

Les rites privés ont survécu jusqu'à nos jours ; la mythologie s'est adaptée à des ensembles nouveaux ; la spéculation a fécondé la plupart des mouvements de pensée qui suivent l'âge védique ; depuis les siècles qui ont précédé immédiatement notre ère, il y a des témoignages historiques attestant que des cérémonies solennelles ont été pratiquées, que les vieilles écoles se sont perpétuées : et de nos jours les unes et les autres subsistent encore, partiellement il est vrai, à titre de simple curiosité archéologique.

Chapitre II

L'HINDOUISME : LA LITTÉRATURE

1. **Généralités.** — Nous n'avons pas à l'entrée de l'hindouisme de texte comparable en importance et en sainteté au Véda, à l' « Absolu-à-forme-de-mot », comme on l'appelle. Les documents les plus anciens de l'Inde post-védique (mis à part les traités canoniques du jainisme et du bouddhisme, qui sont en dehors de l'hindouisme et par conséquent de notre sujet) sont la Grande Epopée, puis les *Purânas*. Ce sont des textes sanskrits, rédigés dans une langue beaucoup plus modernisante que celle même des documents les moins anciens du Véda. Mais ce ne sont pas des textes religieux, encore que l'élément religieux y tienne une place considérable. En fait, c'est le Véda qui continue, nominalement au moins, à servir de base aux croyances hindouistes. La spéculation se fondera longtemps de manière privilégiée sur les *Upanishads* (p. 7) ; seuls les *Brâhmanas* et *Sûtras* (p. 7) sont relégués au rang de techniques, confinés dans l'enseignement scolastique.

D'autre part, des textes nouveaux surgissent, tantôt poursuivant la structure des textes védiques, tantôt s'en écartant plus ou moins.

Textes de type védique. — a) Les *Upanishads* post-védiques se fabriquent sans discontinuité jusqu'aux confins de l'âge moderne ; il en est de vishnuites, de çivaïtes, de tantriques ;

certaines ont des attaches particulières avec tel ou tel système philosophique. Déjà quelques *Upanishads* de la période védique laissaient accéder des valeurs nouvelles : croyance en un Dieu personnel, exaltation de la mystique, etc. ; c'est ainsi qu'on a pu dénommer l'une d'elles, la *Çvetâçvatara*, comme « la porte d'entrée de l'hindouisme ».

b) Les *Sûtras* védiques relatifs au « droit » civil et religieux donnent l'impulsion à une vaste littérature qui fait la substance de ce qu'on appelle la *Smriti* ou « tradition mémorisée ». Cette littérature, que recouvre la dénomination générale de *Dharma-çâstra* ou « Enseignement sur la Loi », demeure, à l'origine du moins, pénétrée de religiosité, tout en s'emplissant peu à peu de valeurs profanes, éléments d'un droit séculier, problèmes de gouvernement et d'administration, etc. Ainsi le texte fameux connu sous le nom de *Lois de Manu*, dont la date exacte est indéterminable (les environs de l'ère chrétienne, sans doute), donne un tableau assez complet de la société indienne, des classes et des castes, mais il englobe aussi des règles religieuses afférentes au vieux rituel domestique ; il commence par un exorde cosmogonique pour se terminer par une doctrine sur les actes, sur le destin de l'âme et la délivrance. D'autres traités analogues sont plus continûment profanes, mais l'empreinte religieuse s'y marque à nombre de détails.

2. Textes épiques. — La Grande Epopée se développe peu à peu, depuis le IIe siècle avant notre ère (et plus tôt encore pour certains épisodes), dans les milieux de bardes et de généalogistes attachés à diverses principautés de l'Inde du Nord. Ces longs récits, lentement accrus, modifiés, aboutissent à la rédaction de deux vastes épopées, le *Mahâ-Bhârata* ou « La grande guerre des Bhâratas » et le *Râmâyana* ou « La geste de Râma ». L'achèvement a pu demander quatre ou cinq siècles. L'une et l'autre œuvres s'attachent à des personnages royaux, privilégiés sur le plan divin. La première retrace les aventures de la famille des Pândavas, cinq frères, objets de la haine de leurs cousins contre lesquels ils revendiquent le royaume ; la lutte sourde s'achève en une bataille formidable au cours de laquelle la plupart des chefs périssent ; les cinq frères et leur épouse commune, Draupadî, survivent, mais ce sera pour disparaître un peu plus tard, emportés par une mort surnaturelle. La seconde épopée, plus courte, plus ramassée, narre la vie du héros Râma, qui a épousé la princesse Sîtâ et, l'ayant perdue pour avoir été enlevée par un démon, part à sa recherche et la reconquiert au terme d'une longue guerre : cependant, conformément au génie malheureux des épopées, Sîtâ devra elle aussi prendre le chemin de la forêt et périr d'une mort surnaturelle. L'un et l'autre textes sont à divers égards des textes religieux : non seulement par les scènes merveilleuses dont ils abondent, par le climat mythique, la divinisation des héros, Krishna d'un côté, Râma de l'autre (ce peut être le fait d'une rédaction tardive), mais surtout par le sermon presque permanent qu'ils développent sur l'éthique et l'idéal hindouistes, sur les devoirs des castes, les prérogatives du brâhmane, etc. ; à tel point que, par moments, au moins dans le *Mahâ-Bhârata*, la narration paraît une simple illustration du *dharma* hindou ; c'est à bon droit que le *Mahâ-Bhârata* a été considéré comme une somme de l'hindouisme ; le *Râmâyana* est déjà plus sécularisé. Enfin la première Epopée contient un épisode qui revêt la dignité d'une sorte d'Evangile, la *Bhagavad-Gîtâ* ou « Chant du Bienheureux » : c'est le discours qu'avant la grande bataille le héros Krishna, cocher du char d'Arjuna (l'un des cinq frères), tient à son compagnon pour l'inciter à agir ; il lui montre ensuite que seul l'acte désintéressé a du prix ; enfin, de proche en proche, il attire sa pensée vers l'Etre suprême, gardien et garant des actes, vers les méthodes qui s'offrent pour accéder à Lui : c'est alors que le « cocher » d'Arjuna se révèle dans sa vraie nature, par une théophanie grandiose, comme étant précisément cet Etre suprême que cherchait confusément Arjuna. Considérable a été le retentissement de ce texte, vénéré dans nombre de sectes, inépuisablement récité, commenté, imité ou traduit.

3. Les Purânas et Tantras. — Les *Purânas* ou « Antiquités » sont plus voisins, semble-t-il, de ce que nous appellerions des traités religieux, puisqu'ils contiennent de manière prolixe des enseignements sur la pratique et le rituel, des données sur les fêtes et pèlerinages, des éléments de mythologie : on y voit ainsi les luttes de la grande Déesse contre les démons, les aventures guerrières, galantes ou ascétiques de Çiva, la biographie de Krishna. Mais leur objet propre est assez différent. Il s'agit de textes à prétentions historiques, qui veulent retracer l'histoire des dynasties ou du moins des généalogies royales, et soutenir les bases de cette histoire par une cosmogonie et une théogonie plongeant au plus profond des ères mythiques. Peu à peu ces textes, lourds d'interpolations, se sont chargés de matériaux de toute provenance. Certains paraissent avoir été conçus pour les besoins d'une secte particulière, et les *Purânas* majeurs, au nombre de dix-huit, ont été classés par la tradition en *Purânas* vishnuites, çivaïtes et brahmaïtes (= dédiés à Vishnu, Çiva, Brahman). Le plus célèbre de ces textes, mais non le plus ancien, est le *Bhâgavata-Purâna* qui décrit la vie du héros-dieu Krishna (p. 41) en insistant sur les motifs qui commandent la dévotion : ce sera le texte de ralliement des sectes krishnaïtes.

La littérature des *Purânas* a pu s'étendre, en gros, des premiers siècles de notre ère jusqu'au XIIe et peut-être au delà ; autour des *Purânas* secondaires ou mineurs gravitent des hymnes, des litanies, des « glorifications » de lieux saints, etc. On peut annexer à ce type littéraire le *Yoga-vâsishtha*, imposant poème légendaire et philosophique (Xe s. ?) et le *Caturvarga-cintâmani* de Hemâdri (XIIIe s.), vaste recueil mixte entre le genre purânique et la *Smriti* (p. 20).

Mieux rattachables à des sectes ou groupes de sectes sont des traités analogues aux *Purânas*, qu'on appelle parfois du nom générique de *Tantras* « Livres ». Plus souvent on distingue parmi ces Livres les traités vishnuites dits *Samhitâs* ou « Recueils », les traités çivaïtes ou *Âgamas* « Traditions », enfin les *Tantras* propres, qui se réfèrent à un aspect de la religion qu'on dénomme d'après eux le tantrisme (p. 61, 76) et qui n'est pas sans affinités avec les sectes *çâktas* (p. 97). Des *Tantras* ont été fabriqués presque jusqu'à nos jours. En fait, ces *Tantras* (au sens large du terme) sont les véritables bases littéraires de l'hindouisme tel qu'il est pratiqué de nos jours. On y trouve des descriptions rituelles minutieuses (rituels de symbolisme et d'adoration), des éléments de doctrine et d'éthique, enfin des méthodes propres à refaçonner l'individualité psychique *(yoga)*.

4. Autres textes sanskrits. — Le reste de ce que nous avons à énumérer, ou bien relève d'une secte particulière et nous y ferons allusion au chapitre VI, ou bien appartient à des genres proprement littéraires, à facture savante, et c'est dans ce cadre qu'il faudrait l'examiner :

a) Tout d'abord, il y a l'ensemble de textes sanskrits représentant ce qu'on peut appeler les belles-lettres : contes et romans, poésie lyrique et didactique, théâtre. Si les contes (autres que ceux des traditions bouddhiques et jainas) ne sont que faiblement des œuvres religieuses, nombreux en revanche se comptent les drames, plus nombreux encore, les poèmes d'inspiration dévote. Beaucoup vulgarisent les doctrines philosophiques dont on sait les accointances avec la religion ; d'autres sont, directement, des hymnes à la gloire de telle ou telle divinité. Nous avons ainsi des strophes lyriques à Vishnu, à Çiva, à la Déesse, des odes au Soleil, maintes pièces intitulées « Vague de grâce » ou « de béatitude », « Attrait de l'apaisement », etc. Une œuvre dramatique telle que le « Lever de lune de la connaissance » (XIe s.) dépeint sous forme allégorique la victoire du *Vedânta* vishnuite sur les autres sectes et sur les hérésies. C'est donc de l'édification. Mais la plupart des œuvres de haute lyrique, ce qu'on dénomme les « grands poèmes » ou les épopées lyriques, ont une affabulation d'origine semi-religieuse, puisqu'elles empruntent leur sujet à l'Epopée et aux *Purânas*, et qu'en exaltant le *dharma* (p. 28) hindou elles se trouvent aborder des faits de culte ou d'adoration, des souvenirs de mythes et de légendes pieuses. On peut de ce point de vue considérer Kâlidâsa, le grand poète lyrique et dramatique du Ve siècle (date d'ailleurs controversée), comme un auteur religieux, puisque aussi bien l'ordre social, l'éthique, la fonction royale sont les aspects d'une même réalité, ou si l'on veut d'une même norme, laquelle englobe aussi la religion.

b) Des œuvres singulières et qui méritent d'être notées à part, sinon pour leur facture qui est bien celle de la lyrique usuelle, mais pour leur contenu, sont les poèmes ambigus, qui s'interprètent à la fois comme des divertissements érotiques et comme l'expression de la dévotion la plus brûlante : c'est le résultat de certaines tendances piétistes qui ont prévalu à partir d'une certaine époque (p. 62). La plus connue de ces œuvres est le *Gîtagovinda* ou « Chant du pâtre » (XIIe s.), sorte de pastorale raffinée qui décrit les amours du dieu Krishna et de la jeune Râdhâ en des termes d'un réalisme intense, à la manière du *Cantique des Cantiques*.

c) Ensuite il y a la littérature philosophique. Il n'y a point entre philosophie et religion la démarcation que nous sommes habitués à faire. Ce qu'on appelle (improprement) des systèmes philosophiques, et qui sont des « vues » *(darçana)*, c'est-à-dire des approches différentes vers une même réalité supra-sensible, ont tous à des degrés divers pris pour objet l'accès à la Délivrance ; de libres spéculations ils sont devenus des sotériologies, ils ont poussé dans la voie du théisme. Le premier de ces *darçanas*, la *Mîmâmsâ*, qui était une « réflexion » sur le rituel védique, est devenu presque aussi soucieux de problèmes théologiques que le second *darçana*, le *Vedânta* ou « Fin du Véda », qui dès l'origine cherchait à élaborer sur les *Upanishads* (p. 7) une ontologie et une mystique. D'ailleurs le *Vedânta*, à partir du XIIe siècle au moins, s'est en grande partie agrégé à certaines sectes et adapté à démontrer des valeurs d'amour-foi, de grâce, d'abandon à Dieu. Le système *Sânkhya*, le pôle opposé au *Vedânta*, puisqu'il instaurait un dualisme essentiel de la matière et de l'esprit, est devenu lui aussi théiste, comme l'était le *Yoga* dès la constitution en *darçana* : le *Yoga* surajoute à une spéculation empruntée au *Sânkhya* une recherche pratique d'une tout autre nature : une technique psycho-physiologique pour accéder à des états et des pouvoirs supra-humains. Le *Yoga* est plutôt, à certains égards, une magie qu'une religion, mais il n'en a pas moins été entraîné dans le courant du tantrisme (p. 61, 76) et de l'hindouisme général. Quant au *Nyâya* et au *Vaiçeshika*, les deux derniers *darçanas*, c'étaient des essais d'explication scientifique, portant l'un sur la logique formelle et la théorie de la connaissance, l'autre sur les « catégories » et la théorie des atomes ; l'un et l'autre ont subi l'attraction des formes religieuses et, par exemple, la logique instaurée par les écoles du *Nyâya* a servi à démontrer l'existence de Dieu.

Il faudrait enfin noter que des disciplines semi-scientifiques comme l'alchimie se sont laissé pénétrer par des idées mystiques ; que l'astronomie a voisiné longtemps de pair avec l'astrologie, etc.

5. Les sources non sanskrites. — Les langues dérivées du sanskrit (langues néo-indiennes, indo-âryennes modernes, comme on les appelle parfois) — notamment le bengali, le marathe et le hindi — ; les langues dravidiennes d'autre part (celles de l'Inde du Sud, qui sont par l'origine étrangères au sanskrit tout en ayant été à des degrés divers pénétrées d'influences sanskrites), ont donné lieu pareillement à de vastes littératures religieuses. Ces littératures insistent souvent sur des aspects nouveaux de la croyance, qui étaient plus ou moins mal attestés par la littérature sanskrite : ainsi dans le Sud, la mythologie, certaines pratiques diffèrent, au moins par les noms, de ce qui existe dans le Nord. L'emploi des vernaculaires dans le Nord a entraîné l'invasion de notions populaires, des faits de dévotion naïve, des pratiques sectaires, qui n'avaient pu trouver audience dans la littérature ancienne, toujours quelque peu hiératique.

6. Les littératures dravidiennes. — Le tamoul (parlé dans la région qui va du nord de Madras à l'extrême sud de la péninsule) a une littérature dont les débuts (antérieurs au VIIe s.) sont purement laïques, contrairement à ce qui se passe dans la plupart des autres domaines littéraires : les coutumes brahmaniques, les cultes locaux, y sont mentionnés çà et là, mais dans tout le cycle du *Sangam* — l'« académie » qui groupe les plus anciens textes en langue tamoule — on ne relève qu'un poème isolé, le « Guide de Muruga », qui atteste une inspiration religieuse : c'est un éloge de Muruga, le Skanda (p. 37) des pays du Sud, le fils de la Déesse redoutable. Les textes qui suivent le *Sangam* montrent un brassage où les données jainas et bouddhistes interfèrent avec des faits proprement hindouistes. Il faut attendre le VIIe siècle pour assister à ce qu'on a dénommé le « réveil çivaïte », avec un groupe de soixante-trois saints dont plusieurs ont laissé des noms en poésie ; le plus grand est Mânikka Vâçagar, dont les odes se signalent par un admirable souffle lyrique. A partir du XIe siècle, il se constitue des *Purânas* (p. 21) çivaïtes. Parallèlement un mouvement vishnuite entre en jeu avec les Âlvârs, série de douze sages auxquels on attribue un vaste recueil d'hymnes, le « Véda tamoul », et que domine la figure de Nammâlvâr, au IXe siècle. Des œuvres nombreuses se succèdent jusqu'à nos jours, parmi lesquelles tiennent une large place les adaptations d'œuvres sanskrites, de l'Epopée en particulier.

En kannara (région de Mysore et N.-O. de là), la littérature est plus récente : ce sont pour une grande part des textes de la secte des Lingâyats (p. 96) : lyrique, légendaire, œuvres de controverse, à partir au moins du XIIe siècle. On trouve aussi des textes vishnuites à partir du XIVe siècle, avec apogée au XVIIe.

En telugu (nord et N.-E. de Madras jusqu'en Orissâ) les œuvres religieuses abondent à partir du XIe siècle, mais ce sont surtout les adaptations de l'Epopée et des *Purânas*. Il faut attendre Vemana (XVe s. ?) pour voir surgir une inspiration autonome, nettement populaire, qui met en branle une religion sans pratiques extérieures.

7. Les littératures indo-âryennes. — Dans le nord, les textes religieux les plus anciens paraissent être ceux en langue marathe (partie occidentale du Dekkan), avec le grand nom de Jnâneçvar ou Jnânobâ, fin du XIIIe siècle, et son commentaire poétique de la *Bhagavad-Gîtâ*. Puis Nâmdev au XVe siècle (?) et surtout Tukârâm au XVIIe, auteur d'innombrables poèmes qui fournissent au niveau populaire l'exacte tonalité de l'amour dévot. Pour la période contemporaine, il faudrait rappeler le traité sur la *Bhagavad-Gîtâ* par Tilak (p. 120).

Les débuts de la littérature bengali suivent de peu, avec des textes d'inspiration d'abord krishnaïte, à facture savante ou semi-savante, dominés par les noms de Candidâs au XIVe siècle, auteur de chants émouvants et de « couplets » sur le dieu Krishna ; par Vidyâpati à la même époque auteur de ballades d'un style plus orné, mais d'inspiration analogue. A côté, il se développe une littérature populaire, surtout çivaïte, et, à date récente (XVIIIe s.), des œuvres *çâktas* (p. 97) comme les poèmes de Bharatacandra et de Râmprasad Sen. De nos jours, Tagore, reflet de l'âme indienne, prouve à quel point la note religieuse demeure présente sous une œuvre qui se veut simplement humaine.

En hindi, la poésie sacrée ne commence guère avant le XVe siècle et prend de l'extension avec Kabîr (1440-1518), un tisserand de Bénarès qui introduit des influences sociales d'une part, mystiques (éventuellement, de mystique musulmane) de l'autre, dans son lyrisme frappant, mais un peu court. Le grand nom est ici, au XVIe siècle, Tulsidâs, dont l'ouvrage principal est une libre adaptation du *Râmâyana*, développant poétiquement la thèse de Râma comme Dieu suprême et de la dévotion ardente qui lui est due ; l'œuvre a connu un succès prodigieux, et pour des millions d'Hindous elle tient lieu de Bible, alimentant à la fois la croyance des humbles et le besoin spirituel de l'élite

8. Autres sources. — Le concours qu'apportent à notre connaissance de l'hindouisme, à date ancienne, les sources grecques (notamment Mégasthène au IIIe s. av. J.-C.) n'est nullement négligeable. Non plus celui des sources chinoises, ainsi du pèlerin Hiuan-tsang au VIIe siècle ; celui des sources arabes, en particulier grâce au voyageur al-Bîrûnî, au Xe siècle.

Parmi les documents modernes, il faudrait citer les notices des voyageurs, français et portugais surtout, pour les XVIIe et XVIIIe siècles ; les *Lettres édifiantes* au XVIIIe, et l'ouvrage sur les *Mœurs, institutions et cérémonies des peuples de l'Inde*, par l'abbé J.-A. Dubois (d'abord en édition anglaise, 1817).

9. Sources archéologiques. — L'épigraphie indienne renseigne de manière intermittente, et guère avant le IVe siècle, sur les faits religieux : sont particulièrement instructives les inscriptions de Valabhî dans le Nord, au VIe siècle, et, à partir du IXe, dans le Sud, les longues épigraphes relatives à l'administration des grands sanctuaires. Les témoignages numismatiques ne sont pas sans valeur, notamment pour la dynastie des Guptas (IVe-VIe s.).

Mais c'est surtout l'archéologie qui est concernée ici. Laissons de côté la civilisation préhistorique dite de Mohan-jo Daro avec ses traces contestables de proto-hindouisme (p. 29) ; passons aussi l'époque védique qui n'offre aucune trace sûre de monument ou de sculpture. Ce que nous trouvons d'abord, aux alentours de l'ère chrétienne, ce sont des piliers (généralement inscrits), dont le chapiteau s'orne parfois d'images, ainsi de l'oiseau céleste Garuda. Mais les premiers monuments, et pour longtemps, sont bouddhiques, tout en ayant pu utiliser des emplacements ou des matériaux hindouistes ; certains motifs, comme la légende de Râma, y figurent le cas échéant, ainsi à Bharhut. L'art brahmanique ne se développe guère avant le IVe siècle, dans des cavernes aménagées en sanctuaires (comme à Udayagiri), dans quelques temples de plein air (Aihole). Il faut aller jusqu'au VIIe siècle, pour voir des ensembles importants, les temples monolithes de Mâvalipuram (région de Madras) avec la représentation de la Descente du Gange ; dans la région de Bombay, les temples souterrains d'Elephantâ (la *trimûrti* ?) ; plus au sud, excavé dans une carrière à ciel ouvert, Ellorâ (VIIIe s.) avec son temple du Kailâsa.

Les cités-temples, englobant des successions de sanctuaires, des halls couverts, cours intérieures, etc., apparaissent dans le sud vers le début de notre millénaire, à Tanjore ; à la même époque, il y a Bhuvaneçvara en Orissâ. Plus tard c'est encore le sud qui développe l'art monumental, avec les ensembles monumentaux de Cidambaram, Madura, Çrîrangam ; la pierre y est mangée littéralement par la sculpture. La peinture murale se laisse constater depuis Ellorâ. L'iconographie, tant çivaïte que vishnuite, revêt des formes multiples ; les aspects propres à chaque dieu sont notés, avec les attitudes et ornements, s'inspirant d'un canon aussi rigoureux que celui qui pèse sur les œuvres littéraires. L'apogée de la statuaire est les Çivas dansants des XIIe au XIVe siècles.

Mais les données de l'art ne concordent pas nécessairement avec le culte effectif ou avec la systématisation d'école : ainsi l'architecture comme la sculpture bouddhique et jaina dépassent par le volume l'importance réelle de ces mouvements, alors que l'hindouisme, tard venu dans la plastique, y subit aussi une décadence plus nette, plus prompte que dans la littérature.

On a des sculptures hindouistes en pays khmèr, des Harihara (p. 38), avant le Xe siècle, des bas-reliefs à sujet épique à Angkor Vat.

Chapitre III

MYTHES ET CROYANCES

1. Généralités. — L'hindouisme peut être étudié de deux manières, comme un tout, ou bien comme une juxtaposition de fragments qu'on appelle des sectes. Les deux méthodes sont plausibles. Mais, comme il s'avère que les sectes se sont répétées les unes les autres en puisant à un fonds commun, qu'au surplus leur apparition est plus ou moins tardive, il y a intérêt à décrire d'abord et pour l'essentiel l'hindouisme comme s'il formait un seul bloc.

Qu'est-ce que l'hindouisme ? Ce n'est pas une religion du type des nôtres qu'on pourrait définir d'abord négativement en isolant d'elles l'ensemble des formes non-religieuses de l'existence. A certains égards, il est inséparable de la spéculation philosophique ; à d'autres, de la vie sociale. La vie sociale se conçoit dans le cadre des classes et des castes, ainsi que des modes de vie ou *âçramas* (p. 85) : c'est en fonction de ces répartitions que s'établit le devoir, l'impératif moral qui lui-même est d'essence religieuse. Le terme considérable de *dharma*, proprement le « support » des êtres et des choses, désigne à la fois la loi dans sa plus grande extension, l'ordre qui préside aux faits dans les disciplines normatives, mais plus spécialement la loi morale, le mérite religieux : c'est le seul terme qui traduise notre mot de religion, et qui à la fois le déborde et demeure en deçà. On naît dans l'hindouisme bien plus qu'on n'y devient un adepte, puisque la condition en est subordonnée aux cadres généraux de la vie indienne : mais, bien entendu, on ne saurait pour autant contester qu'à date ancienne le *dharma* se soit propagé par voie de conquête ou d'assimilation pacifique parmi bien des populations qui n'en avaient pas hérité : comment expliquerait-on autrement l'empire qu'il a pris sur la plus grande partie de l'Inde ?

L'hindouisme est fait d'apports divers : un apport proprement védique, qui résulte de la transmission directe des croyances et des spéculations du Véda. Mais tout ce qui existe dans le Véda et qu'on retrouve dans l'Inde classique n'est pas nécessairement hérité : il faut admettre que l'hindouisme, attesté relativement tard dans les textes, existait sous quelque forme « primitive », dès l'époque védique et peut-être avant. On a cru retrouver dans la civilisation étrangère du bassin de l'Indus (Mohan-jo Daro et Harappa), civilisation qui remonte à 2500-2000 avant notre ère, des traces d'un culte hindouiste : prototype du dieu Çiva, représentations du *linga* ou « phallus », allusion figurée à des exercices de *Yoga* : rien de tout cela n'est assuré. En revanche, il semble bien que maintes pratiques védiques insérées dans le haut culte et la plus grande partie, sinon la totalité, du rituel privé et magique (p. 16) ne sont autres que de l'hindouisme pré-classique.

2. Influences reçues. — Dès l'origine, et davantage à mesure qu'il s'étendait à travers le continent indien, l'hindouisme s'est imprégné d'apports autochtones, dus au contact entre la culture védique et la population anâryenne, dravidienne éventuellement, ou de quelque autre manière qu'on veuille l'appeler. En effet, bien des traits pseudo-hindouistes sont du folk-lore religieux, plus ou moins primitif, tel qu'on le retrouve ailleurs que dans l'Inde. On en observe dans tous les cultes locaux : divinités de village (p. 43), emblèmes d'une symbolique naïve, survivances animistes, etc. Beaucoup de ces traits ont passé dans le culte normal, en sorte qu'en poussant les choses un peu loin on serait tenté de ne voir dans l'hindouisme qu'un fourmillement de cultes élémentaires, qui n'auraient plus rien à faire avec le védisme. Mais il importe de réagir et de se souvenir que ce qui compte dans une religion, c'est bien moins les matériaux dont elle est faite que le système nouveau qu'elle façonne, la création qu'elle représente. En dépit de toutes analogies avec des formes attestées en Iran ou dans la proche Asie, ou dans le sud-est asiatique, malgré l'existence latente d'un shamanisme diffus, il faut bien admettre que l'hindouisme est un fait hautement original.

A ces influences natives, il a pu s'en ajouter d'autres par contacts de civilisation. Dans l'antiquité, il est peu vraisemblable que la Grèce ait fourni quoi que ce soit à l'Inde en matière de croyances : on a supposé, mais sans preuves, que le culte des images, inconnu dans le Véda, avait pu être sollicité par l'exemple grec. Les affinités, assez superficielles d'ailleurs, qui existent entre la théorie du *samsâra* (p. 58) et le pythagorisme, sont un fait de substrat bien plutôt que d'emprunt. L'Iran a peut-être contribué à fixer dans l'Inde du Nord, pour quelques siècles, une adoration au Soleil (dont, au surplus, les tendances sont présentes dans le Véda), et à propager quelques influences mazdéennes, mais il est à noter que le culte de Mitra (qui dans le Véda ne doit rien à l'Iran sinon par l'origine préhistorique commune) n'a bénéficié que d'une extension réduite dans l'Inde post-védique. Ce sont des souverains étrangers comme les Kushânas (Ier-IIe s.) qui, à en juger par le monnayage, auraient introduit des croyances iraniennes (avec le sacerdoce des Mages), peut-être babyloniennes.

Il faut ensuite descendre jusqu'au XIIe siècle pour décider si la pensée indienne a subi une empreinte durable de l'Islâm, avec laquelle elle devait demeurer si longtemps en contact. Or, on note bien à partir de cette date des mouvements sectaires d'origine nettement hindoue qui semblent s'inspirer de mots d'ordre islâmiques : abolition des images, revendication d'aspects épurés de la religion, de certaines pratiques mystiques. Les auteurs modernes qui parlent d'un rapprochement entre l'hindouisme et l'Islâm, qui comparent (comme il est légitime) le piétisme hindou et la mystique *sûfî*, laissent entendre volontiers que les choses du côté hindou ne seraient passées autrement s'il n'y avait eu le voisinage musulman. Cet argument est difficile à réfuter. Cependant, sauf peut-être chez Kabîr (p. 25) et, à travers Kabîr, chez des sectes plus modernes, certaines d'ailleurs hybrides, il n'y a absolument rien dans l'évolution indienne qui ne puisse et ne doive s'expliquer autrement que par la logique interne et la force propre du mouvement. Très rares, et dans l'ensemble négligeables, sont les textes hindous exprimant nettement un emprunt à l'Islâm : ce qui, à tout prendre, démontrerait le mieux cette influence, c'est la réaction qui se manifeste dans telle ou telle secte, dans le sens d'un renforcement des castes et des règles hindoues.

Quant à l'influence chrétienne, elle est toute moderne et n'atteint que des groupements fort limités. A date ancienne, les relations qu'on avait cru apercevoir entre la Nativité et l'enfance du dieu Krishna sont illusoires ; illusoire aussi la soi-disant provenance chrétienne du mythe du *Çvetadvîpa*, l'Ile lointaine habitée par des hommes blancs adorant Nârâyana (épisode du *Mahâ-Bhârata*). Le christianisme a-t-il touché la lisière du monde indien au temps du roi scytho-parthe Gondopharès (Ier s.), auquel, dit la légende, l'apôtre saint Thomas aurait rendu visite quand il entreprit d'évangéliser l'Inde ? En fait il a existé une communauté nestorienne au Malabar, mais on ne connaît rien d'elle avant le IVe siècle ; l'arrivée des Jésuites en 1600 a mis un terme à son activité.

3. **Rapports avec le bouddhisme et le jinisme.** — Le bouddhisme et le jinisme ne sont pas autre chose, à l'origine, que des sectes réformatrices à l'intérieur de la communauté hindouiste naissante. Mais comme ces mouvements, nés l'un et l'autre au VIe siècle avant notre ère, ont pris d'emblée une allure anti-brahmanique, qu'ils ont rejeté l'autorité du Véda, en instaurant peu à peu des spéculations d'un type entièrement nouveau, on a le droit de les considérer comme des « hérésies » du point de vue hindou. Le jinisme n'a jamais connu une large expansion ; il s'est maintenu sur la plupart des points où il a pris pied, puis a perdu du terrain à l'époque des grandes persécutions qui, vers le XIIe siècle surtout, ont marqué la reviviscence des mouvements çivaïtes et vishnuites. Son influence sur l'hindouisme paraît négligeable. Quant au bouddhisme, le déclin de cette forme de pensée a commencé d'assez bonne heure dans l'Inde continentale et, sauf en des points particuliers (par exemple, la constitution des ordres monastiques, éventuellement la faveur des thèses d'*ahimsâ* ou non-violence), son action sur le milieu hindou ne se laisse pas aisément mesurer ; plus vraisemblable est l'action sur les spéculations philosophiques. A haute époque, l'intrusion de valeurs nouvelles dans les *Upanishads*

de la période « moyenne » (comme la *Maitri-Up.*) ; plus récemment, la controverse persistante entre logiciens ou métaphysiciens hindouistes et bouddhistes, des VIIe au IXe siècles, révèlent, sinon une influence décisive — car les positions de part et d'autre sont demeurées absolument inchangées — du moins un contact prolongé qui a pu aboutir à mieux serrer l'argumentation, à préciser les doctrines. Certains auteurs admettent que l'effort des premiers commentateurs du *Vedânta* (p. 23), de Gaudapâda à Çankara (VIIe-IXe s.) a tendu à assimiler le bouddhisme, à lui donner un contenu approprié aux thèses de l'école.

4. **Influences données.** — Si l'hindouisme a peu emprunté, en revanche, il a exercé quelque action, difficile à déceler il est vrai, sur les pensées environnantes. Le bouddhisme et le jinisme primitifs ne se concevraient pas si l'on n'admettait un constant brassage d'idées hindouistes ; on a parlé, peut-être avec imprudence, du « védântisme » du Buddha, pour signifier la présence chez le Fondateur d'une sorte de croyance abstraite, qui de bonne heure aurait été submergée par une hindouisation : formes de religion populaire, croyances aux divinités, aux esprits ; ces faits, il est vrai, attestent moins une influence qu'une conservation. Plus tard, l'évolution du bouddhisme dans l'Inde et surtout hors de l'Inde, celle du jinisme post-canonique, laissent voir des pratiques, une imagerie, une spéculation qui doivent parfois beaucoup à l'hindouisme ambiant. Si, comme on a des raisons de le penser, le tantrisme (p. 61, 76) bouddhique s'est greffé sur le tantrisme hindou (le scénario est de provenance çivaïte), on aurait là un emprunt de grande conséquence, qui a contribué à diffuser dans de vastes territoires asiatiques des doctrines d'origine hindouiste.

Incertaine est l'inspiration indienne — plus précisément, celle des *Upanishads* (p. 7) — sur le néoplatonisme et notamment sur Plotin. Plus probable l'influence du *Yoga* (p. 60), tant comme technique élémentaire que comme méthode mystique, sur le taoïsme et la pensée chinoise. Nous constatons aujourd'hui que le monde ancien a eu, dès avant Alexandre, des données assez précises sur l'Inde ; la relation de Mégasthène (IIIe s. av. J.-C.) contient des détails qui ne sont pas sans valeur sur la religion, et nous voyons au IIIe siècle de notre ère saint Hippolyte disserter avec exactitude sur la doctrine des brâhmanes. L'influence exercée sur l'Islâm est certaine : la littérature dogmatique, mystique, narrative même, en porte témoignage, tant en urdû qu'en persan ; de nombreux textes indiens ont été traduits dans ces deux langues, à partir au moins du XIVe siècle et il a existé plusieurs sectes musulmanes partiellement hindouisées.

Il faudrait enfin signaler, sur le plan littéraire, la pénétration de thèmes généraux (transmigration, rétribution des actes, mythes et cosmologie, panthéisme, « pessimisme » bouddhique) chez certains écrivains et penseurs occidentaux depuis l'âge romantique, sans compter l'actuelle diffusion, dans d'assez larges couches du public, de plusieurs variétés de néo-hindouisme, amalgamé d'ailleurs avec des données occidentales qu'il lui arrive d'affubler d'oripeaux hindous.

5. **L'expansion dans l'Asie sud-orientale.** — Ce qu'on a appelé l'hindouisation du Sud-Est asiatique, et qui a commencé au IIe siècle de notre ère pour durer jusqu'au XVIe environ, est un fait plutôt politique que religieux. Il ne s'agissait pas de convertir (la conversion, thème usuel, rebattu, chez les boud-

dhistes et les jainas, est inconnue de l'Inde brahmanique) ; il s'agissait pour les princes de ces pays et pour la classe dirigeante d'imiter ou d'imposer les usages indiens, d'adopter la forme de royauté répondant à l'idéal hindou : le couple brâhmane-*kshatriya* (p. 88), le culte du *linga* (p. 43), l'aspect çivaïsé de la notion souveraine. Or ceci n'allait pas sans entraîner des conceptions religieuses concordantes. C'est ainsi que, au Cambodge, les rois khmèrs font une religion d'Etat de l'hindouisme, attesté depuis l'empire pré-khmèr de Fou-nan (IIe s.) à côté du bouddhisme ; le vishnuisme apparaît au Ve siècle, refoulé ensuite par le çivaïsme, puis il regagne du terrain au XIIe, suivant une courbe analogue à celle qui se présente dans l'Inde (p. 109) ; il y a des survivances hindouistes jusqu'à nos jours. Toutefois le bouddhisme des Theravādin a remplacé à la fois l'hindouisme et le « Grand Véhicule » ; seules les inscriptions sanskrites du passé portent témoignage de l'intensité de la culture héritée de l'Inde. Au Campâ (Annam), c'est le çivaïsme qui a dominé, saturé de cultes locaux. Au Siam, en Birmanie, l'apport est négligeable. En Indonésie, malgré la vague islamique qui a submergé hindouisme et bouddhisme, la pénétration, qui remonte aussi au IIe siècle, a pris toute sa force à Java oriental à partir du XIe siècle ; il y eut même une renaissance au XVIe, qui n'est pas encore éteinte. Un culte hybride de Çiva-Buddha s'est combiné avec des représentations indonésiennes. Des *Purânas* (p. 21) sont attestés à Java et ailleurs ; à Bali, des textes brahmaniques, *Upanishads* et autres, des usages çivaïtes, tantriques, des croyances védiques même.

6. **Les divinités.** — Comme à l'époque védique (p. 8), le panthéon est vaste et assez inégalement orga-

nisé : chaque figure divine est à peu près indépendante, même quand des connexions artificielles se sont établies entre deux ou plusieurs d'entre elles. Si l'on considère la mythologie de la grande Epopée, on est amené à isoler huit grands dieux qui sont, à peu de choses près, les huit « gardiens du monde » qu'on énumère dans les *Lois de Manu*, dans les *Purânas* et ailleurs ; c'est le dédoublement des quatre dieux protecteurs des orients : Sûrya le Soleil, Candra la Lune (dieu masculin), Vâyu le Vent, Agni le Feu, Yama le dieu de la mort et le souverain des enfers (on l'appelle aussi Kâla ou le Temps, Dharma ou la Loi), Varuna le souverain des eaux, Indra dieu des pluies, porteur du foudre (le *vajra*), magicien, enfin Kubera dieu des richesses. Ils sont tous, plus ou moins, d'origine védique, mais avec des rôles amoindris ou modifiés. L'aspect naturaliste, en évidence, comme il fallait s'y attendre, dans le cas des deux premiers de la série, est fortement en retrait ailleurs ; on le perçoit cependant dans certaines adorations au Ciel et à la Terre, aux cinq planètes, aux étoiles ; dans des incantations à l'adresse de Râhu, le démon-éclipse, qui avale la Lune.

D'autres dieux de date védique sont Mitra, les Açvins, les Maruts (p. 9), sans compter d'autres groupes que nous verrons ci-après. En fait, la mythologie nouvelle a annexé sans cesse des formes et des récits, elle a procédé à des substitutions, mais elle a rarement supprimé ; presque tout le matériel ancien s'y retrouve, et, par exemple, la vieille querelle entre Indra et le démon Vritra (p. 11) se poursuit, ce dernier étant transformé en un pieux brâhmane.

Naturellement il y a des innovations : ainsi Kâma le dieu Amour, dont on raconte que, incité par Indra, il s'efforça d'éveiller la passion amoureuse de Çiva, lequel, furieux d'avoir été troublé dans ses pratiques d'ascèse, le consuma de son « troisième œil ». Une autre forme de l'Amour est Pradyumna, fils de Krishna, partiellement confondu avec le précédent. Skanda (appelé aussi Kumâra le Garçon, ou Kârttikeya, celui qui eut pour nourrices les six Krittikâs ou Pléiades) est un dieu de la guerre, dont la légende ne manque pas en traits scabreux ; fils de Çiva, il joue un rôle important dans le Sud, comme protecteur des brâhmanes, sous le nom indo-âryen de Subrahmanya, sous le nom dravidien de Muruga ou Çeyyava le Rouge, fils de la terrible Déesse. Plus riche encore dans la dévotion populaire est Ganeça, le chef (comme son nom l'indique) des *ganas* ou troupes divines au service de Çiva ; on l'appelle Pillaiyar en pays dravidien. Il est faiseur et défaiseur d'obstacles ; on l'invoque au début des entreprises religieuses, littéraires, économiques ; ses sanctuaires sont innombrables, dans le Nord comme dans le Sud où sa fonction spéciale est de garder les portes des cités. On le représente d'une manière très typique, avec une tête d'éléphant et un ventre proéminent ; nombre d'attributs le concernant doivent s'entendre, évidemment, avec une signification symbolique. Chez lui comme chez nombre d'autres divinités ou groupes divins, l'élément érotique est manifeste.

7. **Les grands dieux.** — Le trait le plus remarquable de la mythologie indienne classique est la coexistence, sur un même plan théorique, de trois grands dieux, Brahman, Vishnu et Çiva. Cette trinité (*trimûrti* en sanskrit, « les trois formes ») apparaît, en tant que telle, assez tard et ne donne guère lieu à un culte distinctif : ce paraît être quelque chose de secondaire, un reflet mythologique de la théorie des trois *gunas* (p. 51). En outre, le premier personnage

du groupe, Brahman — c'est-à-dire la personnification de l'ancien nom neutre de l'époque védique (p. 12) — qui dans la Trimûrti représente l'élément « créateur », ne reçoit d'adoration que sur le plan littéraire, par voie d'épithètes emphatiques et, tout au plus, de narrations tôt épuisées. Il n'a pas de sanctuaire indépendant (sauf un à Ajmer), pas de culte spécialisé ; il est demeuré, en somme, voisin de la notion abstraite qui le désignait à l'origine.

Au contraire, Vishnu comme « conservateur » du monde, Çiva comme « destructeur », sont des figures de premier plan ; ils se partagent la grande masse des fidèles, et leurs fonctions ont irradié en tout sens, assimilant au passage bien des personnalités mineures. Dans nombre de sectes, ils équivalent, l'un ou l'autre, à l'Etre suprême. L'antinomie, souvent bien marquée en littérature, paraît faible, dans l'ensemble, en ce qui concerne la pratique réelle ; il existe même des figures mixtes, comme Harihara, couple de Vishnu et de Çiva réunis en un même symbole, qui, à date tardive, a donné lieu à l'ébauche d'un culte.

8. Vishnu. — Vishnu, qui était, on l'a vu (p. 10), une divinité védique de faible importance, est devenu dès l'Epopée un personnage considérable, à valeur surtout bienfaisante, encore que les aspects redoutables ne fassent pas entièrement défaut. Il est nettement défini avec ses quatre attributs fondamentaux (la conque, le disque, la massue, le lotus) et ses douze ou vingt-quatre attitudes. Mais la mythologie qui le concerne n'est pas fort évoluée : il est surtout un dieu dormant, représenté couché sur l'océan chaotique, le serpent « infini » Çesha aux mille têtes lui servant de couche et le protégeant de ses chaperons ; il médite le monde, et, à son réveil périodique, il émet de son nombril un lotus duquel surgira Brahman pour créer un univers nouveau. Cependant on le voit aussi chevauchant l'aigle céleste Garuda, qui fait l'objet d'un culte séparé. Les noms de Vishnu sont multiples, ou plutôt ceux d'êtres divins confondus avec lui : au Sud, Ranganâtha, Venkateça, Tirupati ; en pays marathe, avec un légendaire particulier) Vithobâ ou Vitthal ; un peu partout Nârâyana (parfois dédoublé en Nara-Nârâyana), peut-être un génie des eaux. Vishnu a hérité d'une partie des fonctions du dieu védique Indra, dont il était l'allié à l'origine ; l'élément solaire, igné, reste sensible à certains détails. De sa situation de *deus otiosus* a résulté la nécessité pour lui de déléguer son pouvoir ; la conception était conforme d'ailleurs au « non-dualisme » inhérent à la mythologie vishnuite. Cette délégation de pouvoir s'est faite sous deux formes, l'une plus savante, celle des *vyûhas* ou « déploiements partiels » qui, imposant à partir de Vâsudeva la série de trois personnages abstraits (censément les frère, fils et petit-fils de Vâsudeva-Krishna), restituent à l'intérieur du vishnuisme la triade cosmique : créateur, conservateur, destructeur. Les *vyûhas* figurent depuis un épisode du *Mahâ-Bhârata.* Une autre forme plus répandue, plus populaire est celle des *avatâras.* Le mot *avatâra* signifie « descente » ; il s'applique à des sortes d'incarnations de Vishnu, aux termes desquelles le dieu vient sur terre périodiquement pour combattre quelque démon, pour sauver la terre d'un péril grave. L'Etre Suprême fonctionne ainsi comme une manière de providence, mais qui s'exercerait collectivement et à de longs intervalles. La systématisation des âges classiques a conduit à imaginer un groupe de dix *avatâras,* mais certains textes en connaissent davantage (il y en a vingt-deux dans le *Bhâgavata*) ; la notion, éminemment ouverte, a passé de Vishnu à Çiva, à d'autres divinités. On en est venu à trouver le procédé commode pour déifier tel ou tel grand homme du passé réel ou légendaire. Les origines du mouvement sont védiques, tout au moins en partie ; le système semble répondre surtout au souci, comme on l'a noté, de concilier les aspirations à un certain monothéisme avec l'irrésistible penchant pour des cultes multiples.

Les premiers *avatâras* sont thériomorphes. C'est le Poisson (Vishnu en Poisson venu pour sauver le roi Manu Vaivasvata p. 54 : réplique indienne du thème universellement connu du Déluge). C'est la Tortue (thème du Barattement, voir ci-dessous). C'est le Sanglier (Vishnu en Sanglier soulevant la Terre que le démon Hiranyâksha avait entraînée au fond des mers). Les suivants sont mixtes : l'Homme-lion et le Nain (métamorphoses de Vishnu ayant à combattre, respectivement, les démons Hiranyakaçipu et Bali ; l'histoire du Nain reprend le thème védique des trois pas de Vishnu p. 10). Viennent ensuite des gestes guerrières : Râma-à-la-hache, qui purgea le monde de l'oppression des guerriers *(kshatriyas)* révoltés contre l'autorité des brâhmanes ; le héros Râma (Râmacandra), le vainqueur du démon Râvana et le protagoniste du *Râmâyana* (p. 20) ; le héros Krishna aux exploits innombrables. Le neuvième *avatâra* n'est autre que le Buddha : c'est un essai hardi pour intégrer le fondateur de la grande hérésie dans un cadre vishnuite. Le dixième est Kalkin, le « sauveur » à venir, une sorte de Messie à tête de cheval qui viendra rétablir l'ordre dans le monde.

Une légende de vaste popularité est celle du barattement de l'océan auquel coopèrent les forces des dieux et des Asuras ; Vishnu-Tortue sert de piédestal au fond des eaux, il supporte le mont Meru (p. 52) autour duquel, en guise de corde, est attaché le serpent Çesha. Le but de cet exploit est de conquérir des trésors merveilleux, notamment l'ambroisie, le breuvage divin ; mais, grâce à un stratagème de Vishnu, les Asuras sont frustrés de leur part de victoire, au bénéfice des dieux.

Le récit le plus développé de tous les mythes indiens est celui de Krishna. Futur chef de clan des Yâdavas, sa naissance secrète (il est en butte aux persécutions d'un oncle cruel, le roi Kamsa) donne lieu à nombre de péripéties fabuleuses ; on nous parle des travaux surhumains qu'il a accomplis étant enfant ; adolescent, il est le « bouvier » divin qui joue de la flûte parmi les bergères, folles d'amour, dansant autour de lui : ce sera le cadre privilégié, moitié mystique, moitié érotique, de la ferveur krishnaïte de l'Inde médiévale ; la scène se situe aux environs de Mathurâ, au bois sacré du Vrindâvana. Plus tard Krishna apparaît comme chef, guerrier, fondateur de villes ; il va s'établir aux bouches de l'Indus, à Dvârakâ, où il fait sa femme, par rapt, de la belle princesse Rukminî. Parmi d'autres aventures, il participe à la guerre des Bhâratas aux côtés des Pândavas ses cousins (p. 20) ; il est le héros surhumain de la *Bhagavad-Gîtâ* (p. 21). Sa fin est obscure ; le clan qu'il dirige ayant été anéanti à la suite d'une guerre intestine, il se retire dans la forêt où un chasseur le visant par mégarde l'atteint au talon, seule place vulnérable de son corps. Des aventures galantes sont narrées sur son fils Pradyumna, son petit-fils Aniruddha ; son frère aîné Balarâma « Râma à la force » a tout un cycle personnel. Dans le Sud, Mâlôn ou Karuppa transpose le Krishna pastoral et danseur. Personnage complexe, composite, Krishna résume presque tous les aspects du génie indien. Les Grecs, quand ils font allusion au Héraklès indien, semblent avoir superposé les images de Krishna et de Çiva.

9. **Çiva.** — L'autre grande divinité, Çiva, est essentiellement ambivalente. Comme destructeur il s'identifie à la Mort, au Temps ; il est Hara « celui qui emporte » et, sous sa forme la plus intense, Bhairava l'Epouvante, aux soixante-quatre variétés. D'autre part, il possède l'aspect réparateur, il est le « bénéfique » comme l'indiquent ses noms de *çiva*, *çambhu*, *çankara* ; il préside aux jeux sexuels, à la procréation, on le représente même parfois comme androgyne ; dans certaines légendes qui le mettent au-dessus des autres dieux de la Trinité, c'est lui qui crée d'abord les eaux, puis dépose dans leur sein le « Germe d'or » (Hiranyagarbha) renfermant Brahman. La figuration de Çiva en « roi dansant », aux bras multiples, est toute chargée de symboles cosmiques ; le patronage qu'il confère aux œuvres artistiques et spéculatives est une part de sa fonction de créateur. Enfin il est aussi l'ascète, celui qui, le corps couvert de cendres, demeure assis en posture de *Yoga* sur un pic du Himâlaya ou sur le Kailâsa ; le prototype de ceux qui concentrent en eux le *tapas* ou « chaleur ascétique ». Sa monture ordinaire est le taureau blanc Nandin ; ses multiples attributs reflètent ses diverses fonctions. Tantôt il est éminemment actif, le personnage principal de luttes contre les démons, de scènes violentes, comme la destruction qu'il opère du sacrifice de Daksha où on avait omis de l'inviter, et où il apparaît sous les traits du terrifiant Vîrabhadra. Tantôt il est un être immobile, inerte, un nain blanc, couché. Comme Vishnu, il délègue son pouvoir à des *çaktis* ou « énergies » qui émanent de lui et sont personnifiées en femmes. Mais contrai-

rement à Vishnu il intervient aussi dans les affaires humaines sous l'aspect d'un homme, ainsi du chasseur qui provoque le héros Arjuna. Il a rassemblé en lui des apports multiples, au nombre desquels il faut compter des tranches importantes du dieu védique Rudra (p. 10). Les Grecs l'ont comparé à Dionysos. Dans le Sud de l'Inde, où son intrusion paraît secondaire, il figure sous le nom de Sundareçvara ou de Mûlalinga ; on lui attribue pour épouse Mînâkshî « celle aux yeux de poisson », la fille d'un roi Pândya.

Inséparable de Çiva « procréateur » est le phallus ou *linga*, mais cette connexion peut n'être pas originelle ; le *linga* a été sans doute une représentation indépendante, toute réaliste et naïve d'abord, puis, telle qu'elle se présente dans l'hindouisme classique, c'est devenu un ornement stylisé, ne comportant plus ou du moins n'éveillant plus d'image érotique, là même où il s'est associé à un élément complémentaire, la *yoni* ou « matrice » en forme de prisme ou de cube légèrement excavé. Les *Purânas* çivaïtes décrivent douze « grands *lingas* » ou « *lingas* primordiaux », c'est-à-dire douze lieux saints où le *linga* est adoré et qui sont censés répondre à douze formes de Çiva. D'une manière générale, le symbole du *linga* est à sa place au centre des sanctuaires çivaïtes.

10. **Les divinités féminines.** — A tous les niveaux de l'adoration, l'Inde présente des divinités féminines. Au plus bas, les *grâmadevatâs* ou « divinités de village » (presque toutes féminines), de dignité d'ailleurs variable, souvent enrichies de légendes, et qui condensent à elles seules, dans le Sud plus encore que dans le Nord, les trois quarts du culte rural. Puis, ce sont les « mères » isolées ou en groupes — on distingue notamment un groupe de sept « petites mères », encadrées par Vîrabhadra et Ganeça —

épouses des dieux, épouses aux formes multiples de Çiva. Ce développement intense s'est produit en liaison avec la notion de *çakti* (p. 97), l'Energie du dieu, principe dynamique qui permettait en somme d'extraire de l'Absolu le monde sensible sans compromettre l'exigence moniste. La notion remonte loin dans le passé ; selon les doctrines elle s'est confondue avec la Mâyâ ou Illusion-créatrice-de-formes du *Vedânta*, avec la Prakriti ou Matière (féminine) du *Sânkhya*. Elle a fructifié surtout dans les sectes dites de son nom *çâktas* (p. 97), et dans le tantrisme (p. 61, 76), où elle se fixe en liaison avec la figure de Çiva. C'est tantôt Satî, l'épouse fidèle qui s'était jetée dans le feu pour ne pas assister à la dispute entre son père et son mari (ce sera le prototype des *satîs* ou veuves qui se laissent brûler vives sur le bûcher consumant le corps de leur époux). Tantôt Pârvatî « la fille de la montagne », Umâ « la bienfaisante », dont on célèbre l'union charnelle et mystique avec l'Epoux. Plus souvent, Durgâ l'Inaccessible, Candî la Violente, Gaurî la Fauve, Kâlî la Noire ; ou encore Annapûrnâ celle « qui donne le riz en abondance ». Une *devî* mineure est Çîtalâ ou Mâriyammai, déesse de la variole, qui reçoit comme Kâlî un culte sanglant (sacrifice de coqs). A plusieurs de ces formes se relie un cycle guerrier, des luttes anti-démoniaques (notamment contre le démon-buffle Mahisha), un culte fait de sacrifices sanglants, éventuellement de sacrifices humains. Il y a des images pacifiques, apaisantes, comme les visions du poète qui voit en elle « la mère universelle » et la confond, à date moderne, avec la patrie indienne ; mais plus souvent, des images cruelles, répugnantes, avec le sang qui dégoutte, l'appétit de chair humaine, les ornements macabres faits de bracelets de serpents, de colliers et de ceintures de crânes.

La représentation paraît être d'origine anâryenne ; on la retrouve en tout cas en pays dravidien, sous le nom de Korravei la Victorieuse. Innombrables ses hypostases, ses lieux saints, dont plusieurs, les *pîthas*, passent pour s'être constitués aux divers points de la terre où sont tombés les ossements de Satî.

Comme Durgâ est la *çakti* de Çiva, la déesse Lakshmî ou Çrî, la Beauté et la Fortune, est celle de Vishnu, épouse modèle, image radieuse et secourable ; Sarasvatî, de parenté instable, ancienne déesse-rivière, est la patronne des arts, la divinité de l'éloquence et du savoir, l'inventrice du sanskrit. Râdhâ, la bergère favorite de Krishna, accède au rang suprême dans les sectes qui exaltent les amants divins, ainsi chez les Nimbârkas (p. 101). Enfin il existe un peuple de petites divinités féminines, parfois favorables, plus souvent redoutables, ainsi les « petites mères » *(mâtrikâ, ambikâ)*, les démones ou ogresses qui sont figurées notamment dans le Sud, comme possédant les enfants, engendrant maladies et fléaux.

12. **Groupes divins.** — Le monde est peuplé d'êtres surnaturels, dont la personnalité s'efface derrière des groupements anonymes. Nous avons déjà rencontré de ces groupes, masculins ou féminins. Il y a ainsi les Asuras, les Daityas et analogues, ennemis traditionnels des dieux contre lesquels ils livrent depuis l'origine des temps des combats sans issue ; conformément à l'ambivalence générale des notions mythiques, ils apparaissent aussi, de temps à autre, au service des dieux. Il y a les Nâgas, êtres souterrains qui combinent en leur personne la représentation des serpents (*nâga* signifie serpent) avec leur royaume mystérieux dans les entrailles de la terre, et des souvenirs d'un folk-lore tribal, peut-être

d'anciens clans totémiques. Les Yakshas sont également ambivalents : servants du dieu Kubera, détenteurs de richesses et d'illusions magiques, ils ont pour femelles les Yakshinîs, qui sont des démones comme le sont d'autres séries féminines, les Dâkinîs, les Yoginîs « adeptes femelles du *Yoga* », etc. Les Gandharvas, génies chanteurs et musiciens, faunes lubriques, mi-hommes mi-animaux, ont pour associées les Apsaras, nymphes des eaux, qui s'essaient — et parfois réussissent — à séduire les ascètes, à la requête de quelque dieu que menacent leurs austérités. Non loin d'eux, dans les nuées, vivent les Vidyâdharas, peuple de magiciens au riche répertoire légendaire. Ce monde hybride interfère entre des valeurs humaines, célestes, démoniaques ; par esprit systématique, il a été rattaché à l'activité de tel ou tel grand dieu, généralement à celle de Çiva. Par contre, il ne s'est pas développé dans l'hindouisme, non plus d'ailleurs que dans le Véda (p. 11), de grande figure de démon, nettement tracée ; les démons sont multiples, liés à une légende spéciale et disparaissant avec elle ; Râvana, le prince-démon ennemi de Râma, est aussi le patron d'un rituel anti-démoniaque.

Le cas de Râma et sans doute aussi celui de Krishna représentent la divinisation d'anciens héros, encore qu'il ait dû y avoir superposition d'autres éléments. La plupart des héros épiques, ainsi le très populaire chef de l'armée des singes allié de Râma, l'habile et dévoué Hanumant, ont été à un moment donné divinisés, de même qu'on a, au cours des temps, élevé à la dignité divine nombre de fondateurs de sectes ou de cités, des princes, voire de grands écrivains ; les « voyants » du Véda, les antiques *rishis*, sont conçus d'emblée comme des personnages sacrés. L'un d'eux, Agastya, passe pour avoir apporté aux gens du Sud la civilisation brahmanique ;

il fit se courber les monts Vindhya pour les franchir en sorte que, malgré leur ambition, cette chaîne de montagne ne put jamais atteindre en hauteur le Himâlaya. Le culte d'Agastya a rayonné jusqu'en Insulinde. Les grandes dynasties royales se font gloire de remonter à des héros immémoriaux, qu'une longue généalogie prolonge en deux branches mythiques, la lignée solaire et la lignée lunaire. On y retrouve, outre les héros familiers Râma et Krishna, le nom de Manu, le premier roi, le père de l'actuelle humanité, et celui de Prithu, un autre « premier roi », celui de l'ère antérieure.

L'ascèse, la dévotion sont pour l'homme des moyens d'accéder à la condition divine, et les vertus du saint sont essentiellement communicables : les richesses spirituelles se transmettent par la vue et par l'ouïe : de là les mérites qui s'acquièrent à invoquer un saint, à chanter ses louanges, à le voir et à le toucher ; l'avidité des foules indiennes pour le *darçana* (proprement la « vue » d'un personnage religieux) ne s'explique pas autrement.

Les animaux sont eux aussi muables en êtres sacrés, la Vache d'abord, qui rassemble autour d'elle un culte et une mythologie, qui concrétise les idées d'*ahimsâ* ou « non-violence », qui symbolise la nourriture et la purification (Gandhi met le respect de la vache au premier plan de son *credo*). Puis le Serpent, dont le culte, chargé de folk-lore, a revêtu des formes diverses ; d'autres encore, qui pénètrent largement dans la mythologie, dans l'imagerie des montures et des attributs. Il y a des plantes divines, des arbres spécialisés dans telle ou telle forme du sacré, le lotus, la *tulasî* dédiée à Vishnu, le *bilva* dédié à Çiva. Parmi les choses inanimées, des pierres comme le *çâlagrâma*, également un symbole vishnuite ; les eaux, depuis l'océan, le Gange, sacré entre tous les fleuves, la légendaire Sarasvatî, jusqu'aux étangs, aux « gués » ou *tîrthas* qui recueillent des croyances locales, forment le point d'aboutissement des pèlerinages. Les attributs des dieux, armes, instruments de musique, objets divers, sont susceptibles d'une divinisation autonome.

13. **Signification des dieux.** — Les dieux sont des êtres puissants sans doute, doués de certains pouvoirs supra-humains ; mais ils restent assujettis à la loi du *karman* (p. 56), destinés à mourir, à perdre leur condition ; ils naissent, nous est-il dit parfois, d'une « manifestation ». La narration mythique qui s'engage vigoureusement dans la voie de la personnification, qui crée tout un décor à l'instar des ambiances humaines, est une chose qui a des racines profondes, des perspectives propres. Dans l'hindouisme classique d'ailleurs, contrairement à ce qui se passait dans le Véda, elle est presque toujours dissociée de tout élément rituel et chemine selon ses voies indépendantes. Mais, d'autre part, il existe une tendance indéniable à rechercher une harmonie, une unité supérieure ; nombre de textes, ceux-là mêmes qui se plaisent à étaler la multiplicité mythique, nous laissent, à d'autres moments, conclure que tel dieu n'est pas foncièrement distinct de tel autre, que l'hommage rendu d'une certaine manière peut l'être autrement encore ; voire, que les formes célestes, les ornements, ont une valeur symbolique, sont destinés à aider l'homme, mais qu'au fond ces choses ont peu d'importance ; certains Vedântins diront qu'elles font partie de la *mâyâ* (p. 51). L'Indien a volontiers élu une *ishtadevatâ* ou « divinité d'élection », qu'il invoque à titre privé, sans attacher pour autant la moindre défaveur aux autres apparences du divin.

14. La divinité suprême. — Par delà le monde divin, les Indiens reconnaissent souvent un *Îçvara* ou « Seigneur » ; on emploie aussi les termes *purusha* « être » et *bhagavant* « bienheureux ». Il est difficile de dire à partir de quel moment surgit la notion que supportent ces mots ; la première trace littéraire en est dans les *Upanishads* dites « moyennes », qui peuvent dater des Ve ou IVe siècles av. J.-C. ; elle comporte d'emblée une différence de nature avec les autres noms divins. Mais on ne saurait l'identifier à notre notion d'un Dieu personnel sans souligner en même temps certaines divergences. D'abord elle demeure jointe en général à l'image précise de quelque dieu mythologique, Vishnu, Çiva, Krishna ou Râma ; dans les formes les plus strictes du *Vedânta* (p. 23), celles de l'école de Çankara, l'Îçvara est un « *brahman* qualifié », c'est-à-dire un absolu impersonnel qui se trouve, sur un plan inférieur à celui de la réalité transcendantale, doté de qualités *(saguna)*, en sorte d'apparaître comme un Dieu personnel. De fait, même en dehors de cette école, l'idée de l'Îçvara n'est jamais pleinement dissociée de celle du *brahman* neutre. Le *Bhâgavata* (p. 22) enseigne : « Cette forme inévoluée, le *brahman* primordial, lumière, existence pure, sans qualités, sans changement, sans attributs, sans désirs : c'est toi, tu es Vishnu en personne, le flambeau du microcosme. »

A la fois immanent et transcendant, Dieu selon l'hindouisme conserve des éléments d'origine panthéiste. Un texte comme l'*Arthapancaka* de Lokâcârya Pillai (XIIIe s.) distingue le dieu personnel siégeant au paradis, l'être « déployé » (théorie des *vyûhas*, p. 39), l'être qui descend sur terre (théorie des *avatâras* p. 40), le « régisseur interne » (prolongement de l'ancien âtman p. 12), enfin l'image physique à destination du culte. Ces cinq états sont juxtaposés plus souvent qu'intégrés dans un même bloc de représentations. La *jîvandevatâ* de Tagore est à la fois Dieu et un double transcendant du moi.

Mais, si le raisonnement, la voie spéculative, ont permis d'accéder lentement, péniblement, à cette notion de Dieu, les poètes en revanche en ont eu l'intuition immédiate ; ils célèbrent souvent l'Etre suprême ; leurs chants les plus convaincants peut-être sont ceux qui le recherchent par des négations successives, comme les *Upanishads* (p. 12) faisaient pour définir l'Absolu. Ainsi Harîchand, poète hindi du XVIIIe siècle : « Il n'est ni dans la science, ni dans la réflexion ; ni dans le *karman*, la caste ou les lois ; ... ni dans les paroles et les disputes ; ni dans les controverses religieuses ; ni dans les temples et les cultes ; ni dans le tintement de la sonnette de l'officiant. Harîchand le dit : Dieu n'est lié et suspendu que par un lien d'amour » (trad. P. Meile). De fait, le divin et son aperception, dans l'Inde, est affaire de « réalisation » beaucoup plus que de spéculation.

Il y a des systèmes de pensée athéistes, mais ceci signifie seulement qu'ils excluent la croyance à un être suprême de caractère personnel ; ils admettent, tels le *Sânkhya* ancien et la *Mîmâmsâ* pré-théiste (p. 23), les croyances élémentaires, y compris celles à des divinités transitoires. Quant aux Matérialistes ou Nâstikas, proprement « ceux pour qui il n'y a rien », ils nient toute existence autre que d'ordre sensible, matériel : mais ces écoles ont comparativement peu de prestige ; du moins, la littérature ancienne évite d'en parler et leurs textes autoritatifs, s'il y en a eu (comme on l'assure), ont été perdus, en raison sans doute de la déconsidération qui s'y attachait.

Chapitre IV

LES SPÉCULATIONS

1. **Généralités.** — Le problème du divin nous achemine au cœur des spéculations indiennes. Le dieu suprême n'est pas nécessairement créateur, ou s'il l'est, ainsi dans le cas de Brahman, son acte reste abstrait en quelque sorte : il donne l'impulsion première. Pourquoi a-t-il créé ? Par « jeu » *(lîlâ)*, nous dit-on souvent ; par l'effet de la *mâyâ*, principe d'altération qui développe les phénomènes au sortir de l'unicité primordiale.

La cosmologie pose d'ordinaire au commencement des choses la *prakriti* ou matière primitive (littéralement « pré-action » ; on dit aussi *pradhâna*, le pré-donné), continuum matériel qui couvre l'espace et qui porte en soi les trois composantes appelées *gunas* « qualités (-substances) » — *sattva*, le principe bon, lumineux, *rajas*, le principe impur, mêlé d'affectivité, *tamas*, le principe ténébreux —, lesquelles par le dosage de leurs éléments façonnent le monde phénoménal, physique aussi bien que psychique. De ce mélange naissent les cinq éléments-premiers (éther, air, feu, eau, terre), les constituants de ce qu'on nomme « l'œuf de Brahman », c'est-à-dire l'univers. Déposé sous forme de Hiranyagarbha (p. 11) au sein des eaux, cet œuf éclot Brahman, lequel engendre la création, et notamment la race humaine ; selon une autre tradition, Brahman la fait engendrer par ses dix fils « spirituels » (les Prajâpatis). Ici, et ici seulement, on rejoint la zone mythologique. Naturellement d'autres doctrines ignorent la *prakriti*, posant directement Brahman. Le *Lingapurâna* fait parler celui-ci en les termes suivants : « La conscience fut créée par moi, et le sentiment-du-moi sous ses trois formes, lequel provient de la conscience ; de là les cinq éléments-ténus, de là l'esprit et les sens corporels, l'éther et autres essences, et ce qui en est issu : j'ai créé tout cela en me jouant. »

2. **L'univers.** — L'œuf cosmique *(brahmânda)* comprend en sa moitié supérieure sept étages célestes, au delà de quoi il n'y a plus qu'espace vide ; le plus haut est le séjour de la Réalité ou du *brahman* (neutre). En sa moitié inférieure, sept étages souterrains, domaine des Nâgas et d'autres êtres fabuleux, le *pâtâla* ; au plus bas du *pâtâla*, les enfers proprement dits, le *naraka*, séjour des châtiments, eux-mêmes souvent divisés en sept étages ou un multiple de sept.

La terre est entre deux, une sorte de disque ayant pour centre le prestigieux mont Meru, pivot du monde « qui brille comme le soleil du matin ou comme un feu sans fumée » *(Padma-Purâna)*. Autour du Meru, disposés aux quatre orients, quatre « îles-continents » *(dvîpa)*. La provenance réaliste de ces données est patente, le Himâlaya en a fourni la base et les traités d'astronomie ont conservé ce qu'ils pouvaient de cette géographie primitive. Mais à partir des *Purânas* la spéculation introduit l'image d'îles et d'océans concentriques, au nombre de sept, arrangés autour du Meru ; une montagne infranchissable marque la limite de la surface terrestre.

Le Jambudvîpa ou « l'Ile du pommier-rose » est situé au Sud du Meru selon la première conception ; selon la seconde, il a le Meru pour centre : c'est la portion habitée de la terre (ou, selon d'autres textes, c'est l'Inde seulement) ; il comprend six chaînes de montagnes qui vont d'Est en Ouest, délimitant sept versants. A partir de là on retrouve la géographie connue, parsemée néanmoins de quelques éléments fantastiques.

3. **Les âges du monde.** — En même temps que la cosmologie acquiert ainsi de la profondeur dans l'espace, elle en gagne pareillement dans le temps. La théorie des *kalpas* ou « ères cosmiques » ne semble pas encore connue à l'époque védique. Chacun de ces *kalpas* est conçu comme embrassant la durée d'un monde, de la création à la dissolution ; il équivaut à une journée de la vie de Brahman. Il contient à son tour mille « grands âges », chaque « grand âge » contient quatre « âges » ou *yugas* : l'âge « parfait », le troisième, le second, enfin l'âge mauvais (le *kali-yuga*), celui où nous sommes, qui dure depuis une date répondant à 3102 ans avant l'ère chrétienne. Le *kali-yuga* se caractérise par une déperdition des « trois-quarts » du *dharma* existant à l'âge parfait, ce qui a pour corollaire les guerres, les fléaux, les vices, les morts précoces que nous voyons autour de nous. La courbe de l'humanité actuelle, comme d'ailleurs celle des humanités passées et futures, marque une évolution régressive, aboutissant à des « dissolutions intermédiaires » — incendies suivis de déluges — ; à la fin des temps vient la « grande dissolution » *(mahâ-pralaya)* qui coïncide avec la fin de la vie de Brahman ; le monde se résorbe en Brahman par un processus involutif, jusqu'à l'éclosion d'un nouvel œuf cosmique. « Quand, dit le

Bhâgavata, le monde périt au terme de deux tranches brahmiques, que les éléments grossiers rentrent dans l'élément primitif, que l'évolué retourne, sous la pression du temps, à l'inévolué, alors tu [Vishnu] demeures seul, sous le nom de Çesha ».

Selon une autre représentation historisante, chaque *kalpa* est divisé en quatorze périodes égales, désignées par le nom du Manu qui en est le régisseur : ce sont les Manvantaras ou « périodes des Manu », suivies de longs interrègnes. L'humanité actuelle est commandée par le septième Manu, le Vaivasvata ou fils du dieu solaire Vivasvant.

4. L'âme et le corps. — La notion équivalant à ce que nous appelons l'âme est désignée par le mot *âtman* qui signifie le Soi (anciennement le « souffle vital ») et qui est plus compréhensif, car il englobe la connaissance et parfois les sensations ; des images sensibles y subsistent, ainsi celle du poucet siégeant dans la prunelle de l'œil ou au cœur. La séparation d'avec le corps est loin d'être aussi marquée que dans nos conceptions courantes : il y a une transition continue, sans différence de nature, des processus matériels aux processus psychiques, que domine le *manas*, sens interne régissant les facultés mentales. Dans certaines philosophies, les âmes, sous le nom de *jîva* « principe animé », sont figurées comme des monades sans commencement ni fin, abstraites, invariantes, tantôt actives tantôt inactives : ainsi dans les systèmes dits athéistes. Les pensées théistes décrivent surtout les états par où elles passent : on distingue les âmes liées par le *samsâra* (p. 57), les âmes « délivrées », les âmes éternelles, c'est-à-dire naturellement exemptes de s'incarner.

On distingue aussi le corps grossier, dont le lien avec l'âme a lieu par l'entremise du *prâna* ou « souffle » ; et le corps subtil, invisible, qui comprend les organes subtils des sens, le sens interne, parfois aussi les souffles animant les fonctions organiques ; c'est, à la mort, ce corps subtil qui accompagne l'âme après la destruction du corps grossier et qui demeure le support des dispositions nées du *karman* (p. 56).

Au moment de la mort, l'âme résorbe les facultés, quitte le corps, s'échappant par l'une des neuf ouvertures. Mais à ce moment interviennent diverses vues.

5. L'autre monde. — Dans les représentations populaires, la conception dominante est que l'âme se présente devant le dieu Yama pour être jugée. Si la balance des œuvres est à son crédit, elle va au paradis par le « chemin des dieux » en suivant les rayons solaires. Le paradis est imaginé comme un lieu de jouissances sensuelles, situé tantôt au ciel, tantôt au sommet du mont Meru, parmi les dieux, ou bien au ciel Vaikuntha que certains conçoivent comme un séjour « spirituel ». Si la balance est débitrice, l'âme est entraînée vers l'enfer ; des descriptions drastiques de peines sont données, avec des gradations dans la rigueur des supplices. Mais ni le paradis, ni surtout l'enfer, du moins dans les théories habituelles, ne sont considérés comme éternels. Le *Mârkandeya-Purâna* parle de la descente aux enfers, pour un court moment, du roi Vipaçcit qui a commis une faute minime : il implore le salut des damnés et finit par l'obtenir. L'âme humaine est généralement conduite à assumer un nouveau corps au bout d'un certain temps, et à revenir ainsi sur terre. Ce retour s'opère par l'intermédiaire de la pluie qui féconde les plantes, lesquelles à leur tour alimentent les êtres vivants et introduisent de la sorte dans le sperme le déclenchement d'une vie nouvelle. Enfin il y a la notion des *pretas*, ces « trépassés », âmes sans statut, qui attendent leur sort, réduites à l'état de fantômes errants ; elles s'opposent aux *pitars* ou « mânes », nom des défunts qui entretiennent avec les vivants des rapports aimables et utiles.

6. **La théorie du karman.** — Le *karman* ou « acte » est devenu le dogme central de la religion. Il se situe sur un plan plus élevé, en quelque sorte plus scientifique que les représentations précédentes, avec lesquelles la coexistence a été parfois difficile à maintenir. C'est une force « invisible », « inouïe, » qui affecte l'âme (ou le corps subtil) et l'oblige à subir une renaissance nouvelle dans une condition humaine ou animale déterminée par la qualité des actes passés. Tout acte, toute intention, inscrit dans la personne un effet qui mûrit, soit dans cette vie, soit, plus souvent, dans une vie future et qui constitue le destin de l'être. Dans les systèmes théistes, c'est le Seigneur qui déclenche ou régit le *karman*, lequel, ailleurs, est censé fonctionner automatiquement. La loi du *karman* atteint tous les vivants, y compris les dieux ; elle agit de manière immanquable : l'acte suit l'homme, le trouve sans erreur « comme le veau trouve sa mère dans un troupeau de mille vaches » *(Vishnusmriti)*. « Nous sommes ce que nous avons fait, nous serons ce que nous faisons ou ferons. » Est-ce une fatalité absolue ? En un sens oui, en tant que le *karman* est le produit des actes passés ; en tant qu'il est un effet à venir, il dépend dans une certaine mesure de l' « effort humain », que bien des écrivains opposent au destin aveugle. Il est à la fois déterminisme et liberté. La théorie du *karman*, qui explique les causes de notre destinée en même temps qu'elle en impose la loi, a

pénétré profondément la mentalité indienne, fournissant le cadre d'une psychologie. Elle a entraîné pratiquement chez nombre d'Indiens le désir de renoncer à l'acte pour en éviter les conséquences : d'où l'apparition d'une éthique de la non-action, qui oscille selon les doctrines avec des conceptions activistes et de vouloir-vivre.

Le mot *karman* pris en ce sens apparaît dès la *Brihadâranyaka-Upanishad* (p. 8), mais c'est le *Vedânta* classique qui en élabore la théorie, tandis que certains systèmes, comme le *Çaivasiddhânta* (p. 96), établissent toute une comptabilité rétributive : supposons (y est-il dit) qu'une âme ait à son actif mille actes bons, à son passif mille cinq cents mauvais : elle en « consomme » durant sa vie actuelle cinquante bons et cinquante mauvais. Elle tombe en enfer où elle expiera huit cents mauvais actes. Renaissant dans la condition humaine, elle consomme six cents d'entre les neuf cent cinquante actes bons qui restaient, cinq cents d'entre les six cent cinquante mauvais : il demeure trois cent cinquante actes bons, cent cinquante mauvais non consommés. Les nombres de base (mille et mille cinq cents) forment le *karman* « d'arrivée », les nombres intermédiaires, le *karman* « en cours », le solde (trois cent cinquante et cent cinquante) sont le *karman* « qui s'accumule ».

7. **Le samsâra.** — Pour donner un support plausible au *karman*, il a fallu instaurer la doctrine de la transmigration indéfinie des êtres : l'existence actuelle n'eût pas donné carrière suffisante aux effets illimités du *karman*. Ainsi, dans les croyances populaires, la vie présente, pour un individu donné, est conçue comme l'une des vies qu'il traverse parmi un ensemble indéfini d'existences soumises au

karman ; c'est une « onde dans le fleuve du *samsâra* », c'est-à-dire de « l'écoulement général » des êtres vivants. La comparaison usuelle est celle d'une roue qui tourne sans cesse ; ou parfois d'une balançoire, d'une succession de vagues. Le mécanisme est simple : l'âme revenant sur terre avec un « reliquat » de *karman* qui l'affecte, ce reliquat détermine la condition précise dans laquelle l'être vivant renaîtra (« en quelque état d'esprit qu'on accomplisse un acte, on en recueille le fruit dans un corps de qualité correspondante », dit Manu). Les auteurs ont été amenés à établir une classification minutieuse des actes particuliers et des conditions qu'ils engendrent. Conditions en général mauvaises, parce que les actes sont plus souvent pervertissants qu'améliorants, parce que d'agir même résulte une virtualité de mal. D'où ce qu'on a appelé le pessimisme indien, dont on a exagéré d'ailleurs la portée. Car, à la longue, la multiplication même des renaissances animales ou végétales entraîne une courbe ascendante tandis que d'éventuels mérites abrègent le cycle ou haussent le niveau. Seuls, ajoute-t-on encore, des rares êtres privilégiés ont le souvenir de leurs naissances antérieures.

Le mot *samsâra* qui équivaut ainsi à métempsychose (ou plus exactement métensomatose) apparaît depuis les *Upanishads* (p. 8) anciennes, mais il est impossible de dire comment la doctrine s'est formée, sur quels éléments indiens ou non-indiens ; les connexions avec le pythagorisme sont floues et il y aurait assez de données védiques pour expliquer la genèse de cette théorie sans avoir à postuler autre chose qu'une évolution interne.

Quant au détail des renaissances, souvent pittoresque, il fait intervenir des corrélations formelles entre la faute commise et la condition dont on est menacé, parfois sur la base d'un symbolisme élémentaire, d'un jeu de mots : le voleur d'huile renaîtra teigne (parce que la teigne s'appelle « buveuse d'huile ») tandis que le voleur de joyaux, plus avantagé, renaîtra orfèvre. Dans les exposés systématiques de basse époque, on trouve le schéma suivant : l'âme retournera dans le corps d'un homme après être renée d'abord 84 *lakshas* (= 84 × 100 000 fois) : vingt *lakshas* comme plante, neuf comme bête aquatique, onze comme insecte, dix comme oiseau, trente comme bétail, quatre comme singe ; en outre elle aura à renaître 2 × 100 000 fois dans les diverses espèces d'homme, de la plus basse à la plus haute, avant d'être libérée du *samsâra*.

8. **Les voies de la délivrance.** — L'objet essentiel de la religion, bien au delà des avantages de la vie présente, au delà même des jouissances du paradis, est de permettre l'accès à la Délivrance. Si l'homme, dans les perspectives cosmologiques, dans la série indéfinie des actes et de leurs effets, est quasiment annulé en tant qu'individu, il reprend ici, comme être spirituel, toute son importance.

Quelles sont les voies qui mènent à la Délivrance ? Autant de systèmes, autant de descriptions différentes. Il y a la voie des actes, le rituel proprement dit, observances, pèlerinages, prières individuelles : c'est le prolongement de l'enseignement védique, mais ç'a été avec le temps considéré par beaucoup comme la voie inférieure, du moins dans la mesure où il s'agit des formes extérieures de la dévotion. Sur un plan tenu pour plus élevé, il y a les pratiques ascétiques. On peut annexer à la « voie des actes » la voie initiatoire, qui fournit à certaines sectes le « talisman » nécessaire, dévolu à des adeptes privilégiés ; la « consécration » de l'étudiant tantrique, l'octuple sacrement des Lingâyats (p. 96), la ronde sacrée des Vallabhâcâryas (p. 101).

Il y a la voie de la connaissance, héritage des *Upanishads* (p. 8) : la constatation, dûment établie dans l'esprit, de l'identité essentielle entre l'âme individuelle et l'absolu. Mais il existe aussi des méthodes précises d'acheminement à la Délivrance, sans lesquelles l'aspirant risquerait d'errer sans profit. Ces méthodes, longtemps pratiquées à l'état dispersé, et faites d'ailleurs d'éléments hétérogènes, se sont codifiées d'assez bonne heure sous le nom de *Yoga*. Le mot *Yoga* a pris des acceptions atténuées au cours de l'histoire, et en est venu, dans le néo-hindouisme, à désigner tous les moyens d'accès à la vie mystique. Mais dans son principe il s'agissait d'une technique fort précise, héritée directement, semble-t-il, de certaines conceptions physiologiques et pneumatiques dont on retrouve les traces dans le *Véda*, mais qui ont pu converger avec d'autres conceptions moins savantes, d'origine shamaniste, ou simplement avec les pratiques élémentaires visant à produire le *tapas* ou « chaleur » ascétique. Quelles qu'en soient les composantes, c'est en tout cas un phénomène typiquement indien, l'un des plus originaux à coup sûr qu'aient à nous présenter les doctrines indiennes.

9. Le Yoga. — Le mot signifie « union » (et aussi, d'ailleurs, « règle »). Le point de départ de la technique est d'ordre physiologique : un contrôle de la respiration consistant notamment à « allonger » l'intervalle entre inspiration et expiration *(prânâyâma)*. Cet exercice s'accompagne d'un régime psychologique et moral adéquat, fait de règles négatives et positives *(yama* et *niyama)*. La spéculation sous-jacente est celle du souffle compris comme un mode de l'âme universelle. Il y fait suite la rétraction des pouvoirs de sensation et d'action. Puis le sujet concentre son attention sur un point situé soit dans son propre corps, soit à l'extérieur. Il médite longuement en suscitant quelque objet qu'il considère comme s'il s'agissait d'un objet réel. Enfin, au stade ultime, il accède à un état semi-extatique où la dualité sujet-objet est abolie, où la pensée se rassemble et s'intègre avec l'objet, réalisant la fusion qui est le but même du *Yoga* : cet état s'appelle *samâdhi*, proprement « résomption ».

Outre des objectifs élémentaires, d'ordre hygiénique, thérapeutique, le *Yoga* poussé à son point extrême se propose d'abord l'acquisition de pouvoirs physiques supranormaux ; ensuite et surtout l'accès à la maîtrise mystique, caractérisée par l'union intime avec le transcendant. C'est une technique consciente, volontaire, qui vise à dominer la totalité des plans de vie inférieurs en rassemblant les énergies végétatives. Bien entendu, sous ces deux formes, il représente un chemin difficile, réservé à une rare élite spirituelle, malaisément transmissible. La méthode s'est propagée de bonne heure, véhiculée par le bouddhisme, au Tibet et en Extrême-Orient.

10. La voie du tantrisme. — Le tantrisme ou « religion » des *Tantras* (p. 22) est un développement autonome du *Yoga*, qui prend son départ sur des représentations physiologiques et cosmogoniques originales. La voie « de droite » *(dakshinâcâra)* repose sur une conception de six centres *(cakra)* ou nœuds énergétiques sis à l'intérieur du corps et figurés par autant de lotus ; ils sont connectés par des canaux et couronnés par un septième centre au haut du crâne ; le centre inférieur, à la base du tronc, est censé être le siège de la Déesse figurée sous forme d'un serpent lové *(kundalinî)*, qui symbolise en fait l'énergie cosmique de l'inconscient ; le centre le plus élevé est le siège de Çiva. La méthode consiste, par une technique de type *yoga*, à base de contrôle du souffle, à éveiller le Serpent, à le faire monter de cercle en cercle, rompant un à un les clapets, jusqu'au sommet où l'*unio mystica* (*brahmabhûya* « l'identification à Brahman ») se passe dans une ambiance de félicité indicible, avec production d'« ambroisie » ; comme le dit poétiquement un texte tantrique, la *Description des six Cercles*, « Après avoir bu le nectar excellent à couleur de laque émanant du Çiva suprême, la grande source de l'éternelle félicité, Kundalinî la belle rentrera par la voie du Kula [= l'ouverture de *brahman* censément située au haut du crâne] dans le cercle de base. Le *yogin* à la pensée ferme, avec ce flot de nectar céleste qu'il a goûté grâce à la tradition du *Yoga*, fera des libations aux divinités sises dans le Vase de l'Œuf cosmique » : l'opération s'achève ainsi en une sorte de sacrifice au cosmos. Elle porte le nom de *Laya-yoga*, le *Yoga* d'absorption ; il est loisible d'y voir, naturellement, une sublimation de l'acte charnel.

Le tantrisme « de gauche » *(vâmâcâra)* n'emprunte, au contraire, au *Yoga* que pour en prendre le contre-pied. L'acheminement à la Délivrance est le résultat non d'une astreinte physiologique et morale, mais d'un libre cours donné, temporairement au moins, aux sensations, aux passions mêmes : c'est une sorte de stimulation érotique, avec des mises en scènes individuelles ou collectives de réalisation sexuelle, pour arriver en fin de compte à éprouver la vanité de ces jouissances, à en « secouer » la tyrannie et à détruire par là même le Moi qui repose sur une somme de désirs : c'est une sorte d'homéopathie religieuse, où la technique est à base de magie. Bien entendu cette voie de gauche, périlleuse pour le commun des mortels, est l'apanage d'êtres privilégiés (les « héros » comme on les appelle), qui ont passé par les qualifications requises.

11. **La bhakti.** — Un autre chemin vers la Délivrance, étranger au *Yoga* strict, mais non au *Yoga* tantrique, est la *bhakti*. Ce mot signifie littéralement « participation » : c'est la participation affective de l'homme au divin, l'amour-foi, la dévotion émotionnelle qui se manifeste par un désir passionné d'union avec le Seigneur, par un abandon *(prapatti)* à la volonté divine, une soumission (*sevâ* « service ») au Seigneur et aux maîtres qui facilitent l'accès vers Lui. Il s'agit là de formes d'approche au divin plus simples que les précédentes, théoriquement ouvertes à tous sans préparation spéciale. Manifestation spontanée du sentiment religieux, la *bhakti*, qui

existait en puissance dès certains hymnes du Véda, s'est fixée en littérature aux alentours des *Upanishads* « moyennes » et de la *Bhagavad-Gîtâ* (p. 21), où elle était encore mélangée à d'autres valeurs, plus intellectuelles. Elle s'épanouit ensuite dans les chants populaires de maintes sectes, dans un traité krishnaïte considérable, le *Bhâgavata-purâna* (p. 22) ; elle est devenue inséparable de l'hindouisme. C'est elle qu'exprime le clair message de la *Gîtâ* : « Celui qui n'agit qu'en vue de Moi, qui trouve en Moi son but suprême, qui se voue à Moi... celui-là parvient à Moi ». Chez le poète tamoul Appar, la *bhakti* exclut les autres formes de la dévotion : « A quoi bon chanter les Védas ? Entendre les Traités ? Pratiquer chaque jour la loi morale ? Apprendre un *Anga* ou tous les six ? — De porter le Seigneur en son cœur, voilà ce qui seul donne le salut ». A cette effusion le Seigneur peut répondre dans certaines doctrines par la grâce *(prasâda)* dont il dispense le bienfait à ses élus. La *bhakti* crée en contre-partie du *bhagavant* ou « Seigneur » un nouveau type d'humain, le *bhakta* ou « saint », le héraut de l'amour divin, qui communique autour de lui ses vertus (p. 47) : ainsi chez Tulsidâs le personnage de Bharata, le frère de Râma, est la *bhakti* personnifiée : il s'égale presque au Seigneur par l'amour insondable qu'il lui porte.

A basse époque, notamment dans le vishnuisme du Bengale, il s'est formé une doctrine de la *bhakti* tout aussi élaborée que celle des autres « chemins » : on y distingue et on y subdivise à l'infini des sentiments, des états d'âme, des états concomitants ou subsidiaires, à l'imitation des théories savantes qui avaient été échafaudées pour expliquer la poétique et la dramaturgie. D'autre part, une érotisation se produit, différente en son principe de celle du tantrisme, mais non moins intense ni moins périlleuse.

12. La Délivrance. — La délivrance (*moksha, mukti*, et nombre d'autres termes) se définit d'abord et surtout négativement (comme toutes les grandes valeurs indiennes) : c'est l'évasion hors des liens du *karman* (p. 56), le fait d'échapper à la nécessité de renaître. Elle consiste à épuiser le *karman* comme la roue du potier qui, privée d'incitation extérieure, cesse enfin de tourner.

Elle s'obtient tantôt progressivement, tantôt tout d'un coup. Certaines écoles enseignent qu'elle n'est possible qu'à la mort, mais la plupart admettent le « Délivré-vivant » *(jîvanmukta)*, un être privilégié, sorte de saint, qui n'a plus à subir que les effets irrépressibles du *karman* antérieur. Plus rien n'a de réalité pour lui, il n'éprouve aucun désir ; sur le plan de la pratique, tout lui est superflu. Quelques textes le représentent comme un enfant ou comme un possédé, chantant et dansant à la manière de Çiva. La *Vague de Félicité*, un poème attribué à Çankara, s'exprime ainsi : « Il jouit sans relâche de la Délivrance, plongeant et replongeant dans ce lac de béatitude innée qu'est la suprême réalité de Çiva ».

Une fois mort (et la mort est pour lui, naturellement, définitive), les doctrines athées (le *Sânkhya* ancien par exemple) peignent le Délivré comme un être dont la pensée est sans objet ni effet, bref sans conscience. Dans les doctrines théistes, ou bien (ainsi dans le *Yoga*, le *Nyâya*) il demeure passif, sans connaissance ni vouloir, ou bien, d'ordinaire, il est uni à Dieu par un lien qui comporte d'ailleurs plusieurs degrés, de la contiguïté à la fusion. Cet état donne lieu à une béatitude où peuvent se retrouver des images paradisiaques qu'on n'attendait plus dans cette zone abstraite de pensée (c'est le cas de plusieurs doctrines de *bhakti*). Enfin les thèses de l'Absolu impersonnel (*Vedânta* çankarien) voient dans la Délivrance une union avec le *brahman* neutre (p. 12) qui est, en fait, une totale dépersonnalisation, « comme l'écoulement du fleuve dans la mer » ; mais des idées activistes se sont introduites ici peu à peu. L'influence du *nirvâna* bouddhique (et jaina) est probable sur certaines doctrines brahmaniques de la Délivrance. Il n'existe point (sauf à titre exceptionnel) de Délivrance collective.

Chapitre V

RITES ET PRATIQUES DIVERSES

1. Généralités. — Le rituel au sens strict du terme a perdu de son importance depuis la période védique, mais les pratiques extérieures non soumises à un appareil liturgique ont gagné d'autant. L'ancien sacrifice (p. 13) n'est plus guère exécuté que par de riches donateurs, des princes ou dignitaires. La prière s'est séparée du rituel, a tendu vers des formes sinon plus spontanées, du moins plus autonomes. Le symbole, la substitution, l'adoration mentale, font concurrence aux pratiques directes, réelles. Seuls survivent à peu près intacts les anciens rites privés, notamment les « sacrements » (p. 16). D'importantes innovations sont imputables au tantrisme (p. 76), qui sur le plan rituel représente dans l'hindouisme une sorte de révolution.

2. La prière. — La puissance de la prière réside dans la forme du *mantra* (« formule sacrée ») qui l'exprime, plus que dans sa signification ; et plus encore dans la manière dont ce *mantra* est énoncé, dans la concentration mentale qui l'accompagne, dans les conditions extérieures qui l'ont suscité (formules d'initiation à une secte, d'expiation, d'exécration ou de serment, etc.). Il s'est constitué des récitations (dites *japa*, proprement « murmure ») orales, susurrées, mentales, à valeur géométriquement progressive (Manu : « l'offrande faite de prières susurrées est dix fois plus efficace qu'un sacrifice accompli selon les règles du *Véda* ; une prière inaudible l'est cent fois plus ; une prière mentale, mille fois plus »). Le *mantra* est volontiers étiré en longues litanies, en mots ou phrases répétés un grand nombre de fois : ainsi le *Mahânirvâna*, un texte tantrique, décrit une récitation à Brahman composée de trente-deux mille répétitions. Il y a aussi des récitations de textes narratifs continus, ainsi des sept cents versets du *Candî-Mâhâtmya* ou « Glorification de la Déesse » (texte du VIe s. ?) qui est récité quotidiennement dans les temples à Durgâ (p. 44) et très répandu dans toute l'Inde du Nord : « De chanter mes exploits (dit la Déesse d'elle-même) préserve les êtres des renaissances, de réciter l'histoire de mes combats et l'anéantissement des perfides démons, efface les fautes et confère la santé. » La récitation comporte donc les mêmes bénéfices qui s'attachaient à date ancienne à la magie ou au sacrifice.

On décrit des procédés pour « vivifier » la formule, c'est-à-dire pour la faire passer de l'état inerte à l'état efficace. Le *mantra* de base est le phonème sacré *om*, au sujet duquel une ample spéculation s'est créée : c'est « le *brahman* à trois lettres *(a-u-m)* », un « *Véda* secret ». Des lettres isolées, à chacune desquelles s'attache une valeur symbolique, viennent s'inscrire sur tel ou tel objet consacré. On utilise dans le tantrisme des syllabes plus ou moins arbitraires appelées *bîja* ou « germes », parce qu'elles contiennent en germe la forme physique du dieu ou, dit-on encore, qu'elles sont le germe de la réalisation, dont le sens profond n'est donné qu'à l'initié. Les *nyâsas* ou « impositions », un autre auxiliaire d'origine tantrique, sont des procédés consistant à imposer les formules ou *bîjas*, à l'aide des doigts, sur telle partie du corps, afin d'éveiller et de recevoir en soi la divinité incluse dans ladite formule. Les *yantras* sont des sortes de diagrammes, ainsi des séries de triangles ou de cercles entourés de courbes figurant des pétales de lotus et délimités par un cadre. Le plus efficace des *yantras*, le *Çrîyantra*, comporte à partir du point central *(bindu)* une succession de triangles enchevêtrés, puis une série de huit pétales, une autre, concentrique, de seize, enfin trois cercles et trois carrés formant le cadre, le tout représentant le *brahman* (p. 12) indifférencié qui développe en partant du *bindu* les manifestations multiples du cosmos. L'image divine censément projetée dans le *yantra* peut avoir une réalité plus grande, plus concrète, que l'image véritable : voici par exemple, le dieu Ganeça suscité à l'imagination du dévot par un réseau d'hexagones : « Dans une surface carrée aux contours ondulants, emplie intérieurement de la chaleur du soleil levant et de la clarté lunaire... sous un vaste arbre céleste ayant pour fruits des pierres fines, pour fleurs des diamants, pour branches du corail, et que les saisons courtisent ensemble — il est assis là, sur un trône fait de lotus peint, dont les pieds sont des têtes de lion et qui resplendit sous les trois hexagones ; il a une tête d'éléphant avec une seule défense, un gros ventre, dix bras ; il est rougeâtre, etc. » *(Prapancasâra-Tantra)*.

Enfin les *mudrâs* ou « sceaux » sont des gestes de la main, des entrelacements des doigts qui comportent des significations précises et ont donné le branle à diverses spéculations occultistes. Une sorte de grammaire comparée des *mudrâs* devrait pouvoir s'établir en tenant compte du tantrisme brahmanique et bouddhique, dans l'Inde et hors de l'Inde, jusqu'à Bali où on a noté tout un corps de *mudrâs* d'inspiration partiellement hindouiste.

3. L'image et le culte de l'image. — En dépit de la condamnation formulée par certains théologiens contre l'image, le culte de l'image joue un rôle immense dans l'histoire de l'hindouisme. Il y a là un phénomène d'idolâtrie caractérisé, indéniable : Toutefois il faudrait faire des nuances ; chez beaucoup, chez le plus grand nombre peut-être, l'image n'est autre que le support matériel de l'adoration, un auxiliaire du culte au même titre que la prière descriptive ou que les autres manifestations extérieures de la pratique religieuse. Historiquement, l'emploi cultuel de l'image est post-védique, encore que certaines descriptions de la vieille hymnologie impliquent l'existence d'images. Patanjali, au IIe siècle avant notre ère, fait allusion à la vente par les souverains Mauryas de figurines de Çiva, de Skanda, de Viçâkha.

La construction de l'image a lieu selon les canons minutieusement fixés par les Traités, tenant compte des attitudes, attributs, colorations, etc., propres à chaque individualité divine. L'installation dans le sanctuaire comporte une consécration, avec des rites curieux comme l'« instauration du souffle » et l' « ouverture des yeux ». L'adoration s'appelle *pûjâ* : c'est la forme extérieure essentielle des pratiques hindouistes. Par des opérations successives, qui s'inspirent en partie de modèles védiques (intronisation du « roi-*soma* »), l'image est baignée, habillée, parée, parfumée ; on lui donne à boire et à manger ; on dépose des fleurs autour d'elle, on agite des lumières. Certaines *pûjâs* s'accompagnent de cérémonies plus solennelles, combinées selon l'étiquette royale. L'image est promenée de temps en temps hors du temple : ainsi lors de ces processions ou *yâtrâs* où la divinité est installée sur un char monumental, pour être enfin immergée dans quelque étang ou fleuve sacré. Au Bengale notamment ces *yâtrâs* se sont renforcées de mélodrames populaires dont les sujets sont pris à l'Epopée, à la légende de Candî (p. 44), etc. Dans la célèbre *yâtrâ* de Vishnu-Maître-du-monde à Purî (Orissâ) la tradition veut que, afin de gagner plus vite leur salut, les dévots fanatisés se soient laissés jadis écraser sous les roues du char (ce que les voyageurs d'antan appelaient le char de Jaggernaut, déformation du nom Jagannâtha « Maître du monde ») ; un passage du *Vishnudharmottara* (VIIIe s.?) décrit ainsi l'une de ces processions : « Quand le jour est arrivé, on assujettit une petite idole, ressemblant à la figure installée au temple, à l'intérieur d'un édicule à tourelles, d'aspect gracieux, couvert d'étoffes de diverses sortes, sur un char orné de clochettes, de joyaux, de guirlandes, d'oriflammes. On le fait circuler à travers la ville, tiré soit par des chevaux, soit par des hommes exercés. Tandis qu'on fait ainsi le tour de la cité, un homme aux beaux atours, l'arc en main, précède le char ; d'autres jettent à la volée des fleurs et des guirlandes ; il y a des récitations de louanges ; des panégyristes et des diseurs de bénédictions marchent en tête ; le roi défile à la suite, au son des instruments de musique. »

Le tantrisme décrit une forme élaborée de *pûjâ*, dédiée à Durgâ, et qui comprend entre autres une « purification des éléments » *(bhûtaçuddhi)*. C'est une sorte de simulacre de l'éveil de *kundalinî* (p. 61), consistant pour l'officiant à rétracter l'un en l'autre les cinq éléments (terre, eau, feu, air, éther) qui composent son corps, de manière à simuler la résolution de ce corps dans la matière primitive indifférenciée.

Par delà l'image, concrète ou géométrique, se situe la méditation sans support matériel, dont l'objet est de « faire venir à l'existence » la représentation divine avec la même intensité que s'il s'agissait d'une représentation réelle. Cette forme d'hommage, estimée à plus haut prix que toute pratique extérieure, a été surtout développée par le tantrisme, mais on la trouve à toute époque. Elle a dû prendre appui sur la notion védique du « silence » rituel, sur certains schémas archaïques, comme l' « oblation des souffles » connue des *Upanishads.*

4. **Le temple.** — Les Traités décrivent en grand détail l'édification des temples, depuis le pauvre sanctuaire de village aux figurines grossières jusqu'aux temples cités qui englobent dans une vaste enceinte, percée de portes monumentales (les *gopuras*) — surmontées elles-mêmes de tours —, des édifices multiples, des cours intérieures, des salles hypostyles, des étangs pour les ablutions ; parfois même des monastères, écoles, hôpitaux, sans compter de menues installations profanes. Le choix de l'emplacement est soumis à des dispositions astrologiques et mantiques. Il n'y a pas de cérémonies collectives ou à heure fixe ; le culte consiste en la *pûjâ* (p. 69) et en certaines oblations, où l'antique *soma* (p. 14) est remplacé par le *ghrita* ou *ghî*, beurre fondu et clarifié (connu d'ailleurs dès l'époque védique) qui sert à alimenter le feu sacré. La présence des fidèles, si elle n'a pas pour but l'assistance à une *pûjâ*, s'explique par le besoin de méditer, d'écouter quelque enseignement sacré, de participer aux chants et aux récitations. On apporte à l'image des dons, notamment des fleurs, des parfums, des fruits ; le prêtre reçoit l'obole et remet aux visiteurs qui la distribueront à leurs proches un peu de nourriture consacrée. Il y a des offrandes aux mânes, faites sur un autel spécial. D'autres substances oblatoires sont les feuilles de *tulasî* et d'*açoka* (chez les vishnuites),

celles de *bilva* ou Aegle marmelos (chez les çivaïtes), l'herbe *kuça*, l'eau du Gange.

L'usage védique des sacrifices animaux s'est perpétué dans le culte de Kâlî (p. 44), au Bengale notamment. Il est mentionné de ces sacrifices depuis l'époque de l'empereur Açoka, et c'est le type d'offrande que reçoivent communément les « divinités de village » (p. 43). Aujourd'hui il s'agit surtout de chevreaux et de coqs, mais la littérature parle d'autres victimes et fournit les rudiments d'un rituel. Des actes symboliques, des substitutions, sont d'ailleurs possibles.

Quant aux sacrifices humains dont les textes classiques font état çà et là (ainsi le *Mâlatî-Mâdhava* de Bhavabhûti), c'est un usage de clans sauvages qui a pu pénétrer dans les sectes *çâktas* (p. 97) ; les textes védiques les mentionnent il est vrai, mais comme quelque chose n'ayant qu'une validité théorique. Il faut voir une sorte de sacrifice humain à la base de la pratique longtemps en honneur (officiellement abolie depuis plus d'un siècle) de la *satî*, c'est-à-dire de la mort « volontaire » de la veuve qui se jette sur le bûcher où brûle le corps de son mari ; on décrit parfois la cruelle cérémonie sous la forme d'un mariage, et il arrive aussi que la victime soit haussée au rang d'une sainte locale ; il y a des stèles commémoratives. Les premiers témoignages littéraires sont de l'Epopée, les témoignages épigraphiques à partir du VIe siècle ; on a des raisons de supposer cependant que les sources sont pré-védiques.

Le temple, qui est la propriété de celui qui l'a fait construire ou de la communauté qui l'occupe, est consacré en principe à une divinité unique, mais il arrive que les autres divinités y possèdent des chapelles ou des niches contiguës ; il existe d'ailleurs aussi des sanctuaires vides. Il n'y a pas de clergé hiérarchisé, et le prêtre du temple *(pûjârî)*, qui gagne sa subsistance avec les aumônes qu'il reçoit, est un personnage souvent peu honoré, qui se borne à assurer les cultes secondaires propres à une localité ou à un groupe ; les temples principaux sont desservis par des prêtres de la classe des brâhmanes. Nombre de sanctuaires mineurs ne sont nullement desservis.

On signale à diverses époques la présence de femmes, danseuses (bayadères) et courtisanes sacrées, attachées au temple et portant le nom de *devadâsîs* « esclaves du dieu ». L'institution peut remonter aux temps où se sont édifiés les grands temples du Sud, vers le IXe siècle, mais le nom est plus ancien.

Mentionnons enfin le culte du *linga* (p. 43), petite colonne généralement en pierre noire, nue ou sculptée, dressée sur un plateau horizontal ovalaire, la *yoni*, autour de quoi on pratique des *pûjâs* de caractère votif. Les temples du Sud ont parfois de longues rangées de ces *lingas*.

5. **Les lieux sacrés.** — La fondation de villes et de villages, la plantation d'arbres, l'installation d'étangs, donnent lieu à des cérémonies de type religieux, avec des oblations, des rites purificatoires. Ce sont surtout les *tîrthas* — le mot signifie proprement « gué » — qui concentrent l'hommage des masses, pièces d'eau, berges d'un fleuve dont l'accès est facilité par des escaliers en pente douce, les *ghats*. Le Gange est sacré entre tous les fleuves de l'Inde, « notre mère Gangâ » comme on l'appelle, dont le parcours invisible est censé border le ciel et l'enfer. Mais toute eau convenablement invoquée est un substitut du Gange, est le Gange.

Parmi les villes saintes (on en reconnaît sept au premier rang : Bénarès, Hardvâr, Ujjain, Mathurâ, Ayodhyâ, Dvârkâ, Kânjîveram), Bénarès est la plus éminente ; la vie religieuse (sans parler d'activités purement profanes) s'y concentre sur les vastes terrasses et les degrés de pierre qui longent la rive concave du fleuve. A Hardvâr « la porte de Hari » le Gange débouche des montagnes ; Prayâg est le nom du confluent de la Yamunâ (Jamnâ) en amont d'Allahâbâd ; Purî en Orissâ est la capitale du culte de Vishnu ; les temples-cités du Sud, Madura, Tanjore, Cidambaram, rassemblent des croyances multiples ; la « Terre sainte » du krishnaïsme est à Vrindâvana et dans ses environs. La plupart de ces centres et d'autres encore sont le siège de pèlerinages qui à certains moments de l'année et à certaines années surtout entraînent des masses de fidèles et de curieux. Il n'est guère de sanctuaire de quelque importance au voisinage duquel ne s'établissent ces rassemblements ou *melâs*, mi-foires, mi-démonstrations religieuses, qui sont évidemment une des attractions majeures que l'Inde ait à présenter à ses visiteurs. Nous n'en tenterons pas ici, après tant d'autres, la description. Il suffira de souligner qu'à réunir les allusions sur les pèlerinages dispersées dans la littérature, à suivre les itinéraires confrontés aux données modernes, on serait en mesure de tracer une carte spirituelle de l'Inde, qui illustrerait certains faits sociaux importants, la circulation des biens, les voies de pénétration pacifique ou d'invasion.

6. Les fêtes. — Les fêtes, fort nombreuses, suivent un calendrier rigoureux. Les plus importantes sont la *Durgâ-pûjâ*, en octobre-novembre, qui dure dix jours et se passe partie au temple, partie au foyer, non sans renfort de processions ; c'est le « Noël du Bengale ». Un texte ancien la décrit ainsi : « Sur un char merveilleux recouvert de linge fin, muni de grelots et de miroirs, l'image de Durgâ est trans-

portée, tandis que filles et femmes lancent sur elle des fleurs, de l'herbe *dûrvâ*, du riz non décortiqué, de l'eau. On arrose les rues, on pavoise portes et maisons. Les arbres ne sont pas abattus, les prisonniers sont libérés. » La *Çivarâtrî* ou « Journée de Çiva » est célébrée tous les mois lunaires et plus solennellement *(mahâ-çivarâtrî)* en janvier-février. La *Dîpâvalî (Divâlî)* se célèbre, comme son nom l'indique (« rangée de lumières »), à l'aide de lampes disposées dans les endroits tant sacrés que profanes ; il s'y ajoute des réjouissances populaires, et, autrefois du moins, un carnaval accompagné de maintes débauches et excès. On célèbre aussi la « nativité de Krishna », celle de Râma. La fête tamoule principale est le *Pongal* (janvier-février) qui consiste en une offrande de riz bouilli dans du lait, faite à plusieurs divinités, et en une aspersion des vaches qu'on orne de guirlandes. On disperse ensuite le bétail qu'on laisse pâturer à son gré et qu'on rassemble de nouveau pour lui présenter des images divines portées en procession.

Des journées de jeûne précèdent parfois ces fêtes, qui peuvent çà et là laisser se perdre tout caractère religieux au bénéfice d'un simple divertissement : c'est ce trait qui caractérise la *Holî*, fête du dieu Amour et du printemps. Plus important est le fait que certaines de ces manifestations rappellent des épisodes mythiques : ainsi la fête de Durgâ commémore la victoire de la Déesse contre le démon Mahisha ; la *Dîvâlî* était à l'origine la fête du démon Bali, qu'Indra avait autorisé, après l'avoir vaincu, à revenir sur terre une fois l'an : c'est cette visite que transcrivait la série des cérémonies, et les bacchanales qui y font suite représentaient la journée de l' « empire de Bali ».

Il est impossible d'entrer dans le détail des faits, qui varient suivant les régions.

7. Rituel tantrique. — Nous avons vu à diverses reprises des pratiques tantriques, qui se présentent comme des renforcements ou des déviations à partir des usages normaux de l'hindouisme. Le tantrisme (cf. p. 61), apparu à une date indéterminée au cours du Ier millénaire après J.-C., a peu à peu envahi toutes les formes religieuses ; ce n'est pas une religion nouvelle, c'est une coloration nouvelle donnée à des faits qui sont de l'hindouisme commun, mais qui parfois ne nous sont attestés précisément que sous l'aspect tantrique. On a pu le caractériser comme « un sacré de retournement » (L. Dumont), dérivant par une sorte d'antiphrase de l'idéal du renonçant. On en trouve la marque dans la mythologie et la cosmogonie, avant tout dans le rituel. Le germe en remonte souvent au *Véda*, à l'*Atharvaveda* (p. 7) notamment qui peut être considéré comme un hymnaire pré-tantrique. Mais naturellement la présence s'en laisse déceler là où la pratique usuelle du culte est envahie, submergée par des éléments qui en modifient aussi bien la forme extérieure que la signification profonde. On entre là dans le vif de l'ésotérisme indien. Une sémantique occulte s'est développée, dont le mystère, propre aux « héros », est gardé des *paçus* ou « bêtes » que sont le commun des fidèles ; la langue en est appelée « crépusculaire ». Le langage, par suite, prend un pouvoir quasi illimité ; il est signe et chose signifiée à la fois. La formule déclenche des réalisations surhumaines, peut amener la délivrance immédiate. Le tantrisme est avant tout un *mantra-çâstra* ou « enseignement de la formule-sacrée ». C'est naturellement une religion initiatoire, qui se transmet de maître à disciple : l'initiation, dont on distingue quatre formes, de la lente à l'instantanée, revêt des aspects complexes, ainsi l' « aspersion plénière » que décrit le *Mahânirvâna*, qui dure de une à neuf nuits, et succède elle-même à une série d'étapes. Il n'y a d'ailleurs pas une littérature, ni un corps de doctrines, mais des suites didactiques, consignées dans des ouvrages souvent tardifs, avec des pistes qui se brouillent.

L'apport érotique domine, surtout dans les pratiques « de gauche » (p. 62), le principe étant d'exalter ce qui pour l'individu normal est illicite (« ce qui dans le monde est abaissé sera exalté, et rabaissé ce qui dans le monde est exalté », dit le *Kulârnava*) ; ensuite, d'accumuler en soi le potentiel que recèle l'énergie sexuelle. Mais ces rites sexuels se chargent de valeurs symboliques : l'acte humain est une participation à la conscience divine. C'est ainsi qu'au cours du *pancatattva* (« les cinq entités »), la femme qu'on approche au moyen des cinq *m* (*madya* « vin », *mâmsa* « viande », *matsya* « poisson », *mudrâ* « gestes », *maithuna* « contact charnel ») n'est autre que l'Energie divine incarnée dans un être humain ; le *maithuna*, l'élément le plus important, consomme un mariage mystique : c'est « l'hommage du cercle », ainsi appelé parce qu'il y participe un groupe d'hommes et de femmes. La femme peut être aussi conçue, traitée en idole divine. Il y a une série de rites macabres à caractère plus ou moins magique, qui se situent aux lieux où se consomme « la destruction du Moi », c'est-à-dire aux cimetières. Mais il y a aussi des pratiques épurées, substituées, propres aux tantristes de la « voie de droite » (p. 40).

8. **Les pratiques expiatoires.** — Dès la fin de l'époque védique il s'était institué un code de pratiques expiatoires en marge du rituel. Elles consistaient en oblations spéciales, ou en oblations normales détournées de leur fin, parfois en récitations et ablutions : il s'agissait ainsi d'éviter les conséquences d'une erreur, d'une souillure, d'un accident. Ce code s'est amplifié, accru de pratiques nouvelles, ascèse et jeûne, mortifications diverses. La donation expiatoire, l'œuvre pie, la fondation religieuse, y sont devenues peu à peu un élément prépondérant ; enfin, dans ce domaine comme dans d'autres, un système d'expiations substituées s'est accrédité, qui finit par submerger le détail des expiations prévues pour chaque faute particulière. Même des fautes inexpiables ont pu être effacées à bon compte ; on a imaginé d'expier pour autrui, d'expier par avance une intention de fauter, etc.

Ces pratiques se trouvent parfois en conflit avec le châtiment légal, soit qu'elles cumulent avec ce dernier, soit qu'elles se substituent à lui. Elles sont décrétées par une cour de justice en miniature présidée par un officier « châtieur », qui veille, dans les cas graves, à l'exécution de la sentence. Outre les fautes religieuses proprement dites, graves (« celles qui entraînent la chute de la caste ») ou vénielles, la théorie englobe les fautes contre l'éthique, les comportements irréguliers dans la vie sociale, voire certaines disgrâces naturelles, certains cas d'erreurs involontaires. Nombre de ces « observances » ou *vratas* dont il est question en littérature, comportant des figurations symboliques parfois fort poussées, sont en fait des pratiques expiatoires ; d'autres *vratas* sont simplement des requêtes, des prières qui se présentent dynamisées en drames religieux. Toutes ces pratiques, expiatoires ou non, sont en forte décadence aujourd'hui, du moins sous leurs formes les plus voyantes.

Si le mal à date ancienne réside dans l'erreur, pour l'hindouisme classique il a son siège plutôt dans l'impureté : périodes impures, actes et objets impurs, sont dûment catalogués, font l'objet d'une casuistique. Pour comprendre ces faits, il faut se rappeler que les moindres actions peuvent avoir une incidence religieuse : la nourriture par exemple, la manière de la prendre, sont des actes où la religion est concernée. C'est la notion d'impureté, on le sait, qui est à la base, théorique au moins, de l'institution des castes.

9. **La magie.** — En marge du culte il y a l'appareil des pratiques magiques, qui semblent s'être peu renouvelées depuis l'époque védique (p. 17), sauf que les anciennes formules ont été remplacées par d'autres et que les attaches spéciales que la magie entretenait avec le vieux rituel se sont naturellement défaites.

Qui pratique la magie ? Le brâhmane, notamment le « chapelain » *(purohita)*, l'ascète ; dans les traditions épiques, dieux et démons, génies aériens *(vidyâdhara)* et saints *(siddha)*, au même titre que les humains ; le roi est un thaumaturge, doué de grands pouvoirs magiques. Les substances utilisées sont innombrables : on peut dire que toutes choses se classent suivant qu'elles sont chargées ou non d'une force irrationnelle et que cette force est bénéfique ou, plus souvent, maléfique. Nombre de prescriptions rituelles, ainsi celles sur le nom, s'expliquent par une représentation magique.

Les actes magiques s'accompagnent de supports matériels analogues à ceux du culte normal ; plusieurs sont empruntés au tantrisme : ainsi il y a un emploi largement répandu du *yantra* (p. 68), du *mandala* ou « cercle » tracé sur le sol, délimitant un territoire privilégié où l'opérateur peut sans danger attirer ou écarter les forces invisibles. Il y aurait lieu de rappeler aussi le rôle considérable des amulettes.

Le domaine des forces magiques est illimité : les charmes d'amour qui interfèrent en littérature avec des procédés rationnels de type médical ou esthétique, forment une catégorie abondante, mais en fait tous les objectifs, les avantages matériels que se propose l'être dans sa vie individuelle ou sociale, sont tributaires de l'action magique. Les fins politiques donnent lieu à des recettes particulières. Dans certains textes, le fabuleux domine nettement : procédés pour marcher sur des charbons ardents, pour parcourir d'énormes distances sans fatigue ; fabrication de produits créant telle ou telle illusion ; la magie dégénère alors en technique du « réseau d'Indra » (art de l'illusionniste).

Toutes les formes de la mantique sont connues, depuis des époques diverses : astrologie naturelle, horoscopie (celle-ci, sur le plan littéraire, est empruntée pour une bonne part aux Grecs, plus tard aux Arabes), onirologie, géomancie, physiognomonie et autres types de séméiotique pseudoscientifique et de divination. L'astrologue de village est un personnage écouté, sans lequel aucune entreprise de quelque importance ne saurait raisonnablement se faire.

10. Science et religion. — La religion védique était réglée pour assurer la marche heureuse des phénomènes naturels, le *rita* ou « norme cosmique ». Les plus anciens textes énumèrent déjà au complet les constellations, situées sur les voies de la Lune et du Soleil, qui servent de repères pour les déplacements des astres ; un peu plus tard, le *Jyotisha* évalue assez exactement l'année sidérale et fixe un cycle de cinq ans. Le rituel védique imposait en effet des connaissances astronomiques précises, de même que la construction des autels et foyers dans l'ancien culte conduisait de son côté à des formulations géométriques qui ont été, elles aussi, consignées dans des Traités spécialisés de date védique.

La médecine de l'Inde classique repose sur des théories pneumatiques dont les hymnes du *Véda* attestent ou impliquent la présence : la norme physique, physiologique, était la contrepartie de la norme cosmologique. En outre le rituel et surtout la magie faisaient appel à certaines données d'anatomie et de thérapeutique.

A côté de l'alchimie, qui se pratique en vue de préparer des substances aux propriétés merveilleuses, élixirs d'immortalité ou de jouvence, mais qui utilise certains procédés semi-scientifiques, il existe une chimie servant à préparer des remèdes à bases minérales : elle pratique surtout la calcination, la chauffe en vase clos, cherchant à extraire des composants métalliques, à les purifier puis à les combiner de nouveau.

Mais le point qui nous intéresse ici est que l'alchimie ou, comme on devrait plutôt l'appeler, la chimie à tendances alchimiques, peut s'associer à des pratiques de *Yoga* et s'adapter à conduire l'homme à la Délivrance tout comme une méthode purement mystique : il existe ainsi une école çivaïte d'alchimistes, dont Mâdhava esquisse les thèses, au XIVe siècle : le mercure, appelé « prince des sucs » et « celui-qui-confère-le-passage-dans-l'autre-monde », garantit à l'apprenti *yogin* une longue vie et lui permet de se purifier surnaturellement de façon à obtenir un « corps céleste » qui sera le support de l'état auquel il aspire, celui de Délivré-vivant (p. 64).

11. Les rites privés. — L'Inde a été conservatrice, nous l'avons noté, dans le domaine des rites privés : c'est l'enseignement des « Aphorismes domestiques » (p. 8) qui fait encore autorité. La *samdhyâ* ou rite de la « jonction » (du jour et de la nuit), qui remplace l'ancien rite solennel d'*Agnihotra* (p. 15), est faite d'une ablution extérieure (avec invocation aux Eaux), d'une ablution interne (rinçage de la bouche, *âcamana*) suivie d'une aspersion sur la tête ; vient une récitation silencieuse de la *gâyatrî*, la fameuse formule tirée du *Rig-Veda* : « Puissions-nous recevoir cette lumière éminente du dieu Savitar, afin qu'elle aiguillonne nos pensées ! » ; puis, quand le soleil paraît à l'horizon, on l'adore ; nouvelle récitation de la *gâyatrî*, nouveau rinçage, attouchement de diverses parties du corps, ébauche d'un *prânâyâma* (p. 60), prononciation de diverses formules, offrandes sommaires. Opérations analogues le soir et, plus brièvement, à midi.

Les « cinq grands sacrifices » *(mahâ-yajna)* quotidiens sont : *a)* le *vaiçvadeva*, offert à « Tous-les-dieux », oblation au feu *(homa)* faite avant le repas de midi, de parts prélevées sur la nourriture ; *b)* le *bali*, oblation à la volée (p. 9), dédiée aux « êtres » ; *c)* le *pitriyajna* ou *tarpana*, libation d'eau mêlée de sésame, à l'adresse des mânes ; *d)* l'*atithi*, rite hospitalier aux visiteurs, spécialement aux ascètes ; *e)* le *brahmayajna*, récitation d'un passage du Véda. Ces petites cérémonies se sont simplifiées ou même ont partiellement disparu dans la pratique moderne. Mais d'autres sont en usage, ainsi le culte aux cinq divinités protectrices *(pancâyatana)*, Vishnu, Çiva, Sûrya, Pârvatî et Ganeça, représentées par des figurines ou des pierres, et qui reçoivent des offrandes quotidiennes dans la maison. Il y a des rites agricoles ; des rites corporatifs (comportant des offrandes à l'instrument typique de la profession) ; le détail varie à l'infini suivant les lieux et les temps. Des rites jadis solennels sont célébrés selon un schéma « privé », ainsi l'antique férie des « pleine et nouvelle lunes » (p. 15). Le centre de la vie religieuse, bien plutôt que le temple, est le foyer domestique, entretenu perpétuellement depuis la cérémonie du mariage.

Quant aux *samskâras* ou « sacrements » (p. 16), il y en a douze principaux. L' « Imprégnation » consacre l'époque présumée de la conception ; pour la première conception, il a lieu quatre jours après les noces. Trois mois plus tard vient l' « Engendrement du fils », qui a pour but d'obtenir la descendance mâle : le devoir essentiel de tout « maître de maison » est en effet d'assurer la lignée par les fils, qui permet le maintien des traditions, et notamment l'exécution du *çrâddha* (p. 84) : « Par un fils, dit Manu, on conquiert les mondes, par le fils du fils on obtient l'immortalité, par le petit-fils du fils on gagne le monde du soleil : le fils s'appelle *put(t)ra* parce qu'il délivre *(trâ-)* son père de l'enfer appelé *put.* »

On mentionne encore, avant la naissance, le rite consistant à tracer la raie dans les cheveux de la future mère. La naissance elle-même fait naturellement l'objet d'une cérémonie élaborée, comportant notamment l'introduction d'une boulette de miel et de beurre clarifié *(ghî)* dans la bouche du nouveau-né, à l'aide d'une cuiller d'or, et le dédiement de l'enfant à Shashthî, déesse protectrice. Le « Confèrement du nom » a lieu au dixième jour et le choix de ce nom fait l'objet d'une série de précautions ; outre le nom personnel, il y a souvent un nom secret et même un nom astrologique.

A quatre mois, vient la « Première sortie », accompagnée d'un hommage au soleil levant ; au sixième, l'absorption solennelle de la première nourriture solide. La « Coupe des cheveux » se situe à trois ans, la « Tonsure » (faite en réservant une mèche), un an plus tard ; puis le « Percement des oreilles ». Plus importante est l' « Initiation » *(upa-*

nayana) qui consacre l'entrée de l'enfant dans la communauté brahmanique et lui donne le titre de *dvija* « deux fois né » : c'est comme une seconde naissance. Elle a lieu de huit à douze ans, selon les castes, et comporte l'investiture du cordon sacré (fait de trois fils de coton blanc noués), lequel remplace un pan de vêtement usité primitivement. Cette cérémonie marque en même temps le commencement des études ; le père fait choix d'un *guru* ou précepteur : c'est lui qui, après avoir lavé le cordon, l'avoir tordu et détordu avec des récitations sacrées, le passe autour du bras droit et de la tête du jeune initié, de manière que le fil repose sur l'épaule gauche. La période des études religieuses étant aujourd'hui considérablement abrégée, le rite du « Retour à la maison » qui se plaçait au moment où l'étudiant venait de prendre congé du *guru* pour regagner le toit paternel, n'a plus guère qu'un intérêt théorique.

Les solennités du mariage, en revanche, sont demeurées longues et complexes ; mais la partie proprement religieuse, la seule qui nous intéresse ici, et d'ailleurs la plus stable, se compose d'un petit nombre de pratiques distinctives : la date elle-même est fixée selon des considérations astrologiques attentives ; le fiancé est conduit vers la demeure de ses futurs beaux-parents par des messagers, introduit comme un hôte de marque ; il oint la jeune fille, lui remet un vêtement neuf, un miroir ; elle lui est solennellement donnée par son père. Suivent des oblations de grains grillés qu'elle verse sur le feu, du creux de ses mains jointes. L'épisode des « sept pas » consacre le caractère irrévocable de l'union ; les vêtements des époux sont liés ensemble, ou bien leurs mains. Un cortège se forme, emmenant la jeune femme vers sa nouvelle demeure ; on transporte avec elle le feu domestique ; elle entre dans la maison sans toucher le seuil, s'assied sur une peau de bœuf rouge. Le couple consomme un mets d'offrande, ou bien il y a une onction mutuelle. Le mariage est suivi d'une observance de chasteté qui dure trois jours et que concrétise le placement d'un bâton sur la couche. Bien d'autres rites, propitiatoires, expiatoires, accompagnent cet ensemble, qui constitue un résumé de toute la pratique hindouiste : on y reconnaît, masquée sous un symbolisme magique, une forme contractuelle du mariage où survivent des traces du « rapt » primitif.

Le mode normal de funérailles est l'incinération, l'enterrement étant réservé aux enfants, aux ascètes, aux tenants de certaines sectes. Le cortège emmenant le mort (préalablement oint, vêtu de neuf, paré) vers le lieu crématoire est précédé des feux ; la marche en est scandée par des récitations, éventuellement par les plaintes de pleureuses à gages. Avec le mort, sur le bûcher, sont déposés les instruments typiques afférents à ses occupations. D'après l'ancien rituel la veuve s'étendait à ses côtés, pour être invitée sitôt après à se relever et à s'unir avec son beau-frère, substitut de l'époux défunt (coutume du *niyoga* ou lévirat) ; une vache était parfois immolée. Des rites purificatoires suivent la cérémonie ; au bout de quelques jours a lieu la collecte des os, recueillis dans une urne d'argile pour être soit enterrés, soit jetés dans la rivière. On signale aussi, pour les morts de marque, l'érection d'un tertre ou *çmaçâna*. Un complément nécessaire aux offices funèbres est le *çrâddha*, le rite « né-de-la-confiance » : il s'agit d'obtenir que le défunt devienne un *pitar*, un « mâne » bienveillant. Le *çrâddha* consiste en boulettes de riz ou *pindas* qu'on dépose sur le sol avec de l'eau, à l'intention du mort : la cérémonie a pour témoins trois brâhmanes représentant les ancêtres directs et qu'on honore et traite à cette occasion, parmi d'autres visiteurs. Le *çrâddha* a lieu de dix à trente et un jours après le décès, ou bien à l'occasion de certaines solennités, ou enfin à des dates régulières, sous des formes souvent simplifiées : ainsi, en principe, tous les mois.

12. **Les états.** — La théorie des *âçramas* ou « états de l'existence. stades ou modes de vie » s'est fixée dans le védisme tardif; elle résulte sans doute d'une systématisation à partir de faits réels. On désigne par là les trois (ou d'ordinaire quatre) états par lesquels passe théoriquement l'Indien de haute caste : étudiant brahmanique, maître de maison, anachorète, enfin « renonçant ». La doctrine illustre le contraste entre l'idéal des œuvres et l'idéal ascétique, contraste qui aura été projeté en évolution continue. Il faut observer d'ailleurs que le passage de la vie sociale à la vie contemplative a été fréquent dans le passé ; il ne manque pas aujourd'hui encore de gens, fortement engagés jusque-là dans la vie mondaine, qui abandonnent soudain toute affaire pour répondre à l'appel spirituel.

La situation d' « étudiant brahmanique » qui n'existe plus guère de nos jours, du moins sous la forme rigoureuse connue dans l'antiquité (on parlait d'études pouvant durer jusqu'à quarante-huit ans), se définit par l'apprentissage des textes sacrés, mais plus encore par les devoirs d'obéissance et de service que l'élève assume vis-à-vis du *guru* (p. 83) ; une des obligations morales essentielles est la chasteté (le mot qui désigne cet état, *brahmacarya*, a pris le sens de « continence »).

Le « maître de maison » a le devoir de procréer des fils (p. 82), d'entretenir les feux, d'exécuter les rites et notamment le *çrâddha* (p. 84). L'anachorète vit loin des agglomérations, avec ou sans sa famille : c'est le type d'existence idéalisé dans l'Inde ancienne par la description des « ermitages » comme celui qu'on voit dans le drame lyrique sanskrit de *Çakuntalâ* ; il comporte des exercices ascétiques, mais peut coïncider avec la poursuite de certaines activités mondaines ; c'est une sorte de retraite. Enfin le quatrième stade est celui où l'Indien, abandonnant toute attache en ce monde, prend le bâton du pèlerin et va mendiant sa nourriture, de lieu saint en lieu saint : « Se sacrifiant au Soi, aimant le Soi, jouant avec le Soi, se confiant au Soi, il délaisse tout lien extérieur et s'emploie à faire remonter en lui-même les feux rituels, sans plus rien offrir que les sacrifices et les oblations internes » (*Mahâ-Bhârata*). En fait, les troisième et quatrième stades (le quatrième surtout) sont des ordres religieux, dont la règle diffère suivant la secte à laquelle appartient l'adepte. Des *samnyâsins* ou « renonçants » se rencontrent, aujourd'hui encore, à travers toute l'Inde ; ils ont des congrès trisannuels dans des villes saintes. Mais une forme de dévotion plus répandue consiste à fixer sa résidence, temporaire ou définitive, auprès de tel ou tel grand maître, dans un *âçrama* (au sens moderne du mot : un lieu de retraite à organisation communautaire).

Ajoutons que, autant le renoncement est exalté par tous les textes, autant le suicide religieux a été malaisément admis dans la société brahmanique. Cependant il est fait allusion çà et là au suicide des ascètes, ceux qui, comme dit Manu, « vont, pleins de détermination, tout droit, dans la direction du Nord-Est, subsistant d'eau et d'air, jusqu'à ce que leur corps tombe d'épuisement » : c'est ce qu'on appelle « le grand voyage », dont le but, rarement atteint, est le Himâlaya. Tout autre est le suicide expiatoire, que la théorie ancienne reconnaît en cas de faute d'une extrême gravité, non rachetable par un autre procédé.

13. Les ordres monastiques. — L'hindouisme n'a pas constitué dans l'antiquité d'ordres monastiques comparables à ceux du bouddhisme et du jainisme : c'est une différence capitale entre ces diverses religions. Les communautés hindouistes sont demeurées diffuses, sans organisation stable. Cependant on attribue à Çankara, le grand philosophe des VIIIe-IXe siècles, tenant du *Vedânta* (p. 23) « non-dualiste », étranger à toute attache sectaire, la fondation d'un ordre çivaïte comprenant dix confréries dont les membres s'appelaient pour cette raison les *daçanâmîs* « ceux aux dix noms » ou encore *ekadandîs* « les porteurs du bâton à un seul nœud » ; il s'agissait bien entendu de « renonçants » et des femmes y étaient admises aussi ; plusieurs de ces ordres recrutaient parmi les brâhmanes seuls ; d'autres étaient ouverts aux quatre castes (à l'exclusion, donc, des hors-castes et des déchus) ; la pratique de la nudité (à l'imitation des Jainas Digambaras ?) était observée par certains. Çankara passe pour avoir créé quatre grands monastères, Çringerî (dans le Mysore), Govardhana (à Purî, en Orissâ), Çâradâ (à Dvârkâ, au Kathiâvâr), Joshi (à Badarînâth, dans le Himâlaya). Le chef de Çringerî gouverne l'ensemble et dispose d'une grande autorité au delà même du cercle des adeptes ; il porte le titre de « maître du monde ». Les adeptes de Râmânanda, de Madhva et quelques autres, ont aussi fondé des monastères. Les moines vishnuites s'appellent souvent des *vairâgins* ou « dépassionnés », sauf ceux de Vallabha qui sont des *gosaïns* ou *gosvâmins* « maîtres » ; ceux de l'école Çrîvaishnava (p. 96), nécessairement brâhmanes, ont pour signe distinctif un triple bâton ou bâton à trois nœuds ; ce sont les *tridandîs*. Les communautés çivaïtes sont moins organisées, et l'ascèse individuelle y prévaut ; cependant il y a des monastères à l'usage des Lingâyats (p. 96), affiliés à cinq fondations originelles, et qui ont essaimé dans tous les villages où existent des membres de la secte.

14. Les castes. — La caste *(varna, jâti)* est un phénomène très ample, qui déborde les problèmes religieux ; nous n'avons à en parler ici que dans la mesure où la caste a une incidence sur la religion ou est régie par celle-ci. Il est clair que, des trois grandes fonctions sociales primitives, la première seule, celle des brâhmanes, est d'essence religieuse. Les brâhmanes, quelles que soient les occupations qui ont été les leurs, sont par principe les tenants du pouvoir sacré : « la naissance même d'un brâhmane, c'est l'incarnation éternelle de la Loi » (Manu). Leur devoir se résume en ceci : « enseigner le Véda » ; leur mode de vivre, d'après l'ancienne *Smriti* (p. 20), consiste à sacrifier pour autrui (donc, à faire office

de prêtre) et à recevoir des dons. Mais les trois autres classes participent aux choses sacrées, elles aussi, à des degrés divers. La seconde, celle des *kshatriyas*, dont le métier propre est celui des armes, doit selon la *Smriti* « sacrifier (à ses propres fins), étudier le Véda, faire des dons ». Le roi, qui résume l'essence des *kshatriyas*, est une émanation de la divinité, un « dieu à forme d'homme », comme dit Manu, et les grandes cérémonies royales, même dans l'Inde post-védique, ont le caractère de féries religieuses : ce sont les seules survivances de l'ancien culte solennel offert aux grandes divinités. La troisième classe, celle des *vaiçyas*, qui sont voués en principe à l'élevage, à l'agriculture, au commerce, ont les mêmes devoirs et charges que les *kshatriyas*, quoique dans une mesure moindre sans doute. Quant à la quatrième classe, les *çûdras*, qui sont au service des trois autres, sans doute ils demeurent en apparence exclus de la religion, mais les textes anciens leur reconnaissent certains droits, et tout l'effort de mainte secte a tendu à les intégrer ou les réintégrer dans le système brahmanique.

Quant à la poussière des castes « modernes », issues théoriquement des quatre grandes classes, le métier certes les distingue (en même temps que l'habitat, éventuellement l'appartenance ethnique) bien plus que l'empreinte religieuse qui a pourtant joué un rôle dans la classification. Parmi les brâhmanes (le seul groupe resté relativement cohérent), la plupart ont abandonné les fonctions sacerdotales sans encourir aucun discrédit (Manu disait déjà « Les brâhmanes doivent être honorés, bien qu'ils se vouent à des occupations vulgaires de toute espèce : car chacun d'eux est une grande divinité »), pourvu que le métier ne soit pas de ceux qui passent pour impurs par nature. L'investiture religieuse (p. 83) est commune à tous les « deux fois nés » *(dvija)*, autrement dit aux membres des trois premières classes. L'expulsion de la caste représente une sorte d'excommunication, et la plupart des règles de caste sont fondées sur la notion de ségrégation, qui résulte de la valeur religieuse attachée à la pureté et à l'impureté. Quant à l'origine même des castes, on y a vu un fait religieux : ceci est vrai dans la mesure où est religieuse l'opposition hiérarchique entre le pur et l'impur.

15. **La morale.** — Si les devoirs sociaux et religieux valent pour les castes et pour les états, les prescriptions éthiques, dans la mesure où elles découlent de ces devoirs, sont également réparties selon ces divisions ; le *dharma* (p. 28) n'est pas un *dharma* universel, mais un *dharma* « de caste et d'état ». En outre, l'éthique est passible elle-même d'une autre subdivision, qui ne recouvre que partiellement les précédentes : celle des « trois objectifs » de l'activité humaine, le *dharma*, c'est-à-dire le devoir, le mérite religieux ou moral ; l'*artha*, la recherche du profit ; le *kâma*, celle des plaisirs.

Néanmoins il ne conviendrait pas d'ignorer la possibilité d'une morale générale, qui se dégage tant bien que mal des valeurs archaïques d'exactitude ou de pureté rituelles ; le vieux terme de *rita*, ordre cosmique (p. 11), est devenu synonyme de « vérité », *anrita*, son contraire, a pris le sens de « mensonge ». Nombreuses, à partir de l'Epopée, sont les prédications enseignant qu'il faut aspirer à la vertu, même si l'on doit y perdre certains avantages ; qu'il faut faire son devoir d'homme. Vis-à-vis d'autrui, des animaux mêmes, la vertu essentielle est la non-violence ou *ahimsâ* (le mot, promis à une immense résonance dans l'Inde moderne, apparaît depuis la *Chândogya-Upanishad*) ; la non-violence d'après

Manu permet à l'homme qui la pratique d'échapper au cycle du *karman*. On prêche aussi certaines valeurs héroïques : souffrir pour autrui, sauver même un ennemi, voilà, dit-on, la grandeur véritable. Un héros du brahmanisme est le prince Vipaçcit (p. 55) qui, descendant aux enfers et voyant que sa présence réconfortait les damnés, offrit d'y séjourner avec ceux-ci. Le *Mahâ-Bhârata* est à cet égard un code de vertus chevaleresques à l'usage du « guerrier », comme le *Râmâyana* et la poésie de cour prétendent représenter le modèle du chef de famille, du prince idéal.

Ce sont ces accents qui, par delà toutes les sécessions religieuses, confèrent à la sensibilité indienne un accent largement humain. La poésie gnomique, cette création typiquement indienne, fleure toutes les vertus « profanes » ; c'est l'apanage de l'homme faible, de condition modeste, d'instruire un plus haut que lui, ainsi le chasseur enseignant le brâhmane dans un épisode du *Mahâ-Bhârata* (III, 206). Pour l'accès à la Délivrance, les vertus morales constituent une qualification divine (*Gîtâ*, XVI, 5) ; elles équivalent aux donations (*Chând. Up*., III, 17). Les vices opposés conduisent à la destinée « démoniaque » qu'est la voie transmigrante : bref, la sainteté sans pratiques, sans religiosité définie, pourrait donner le même résultat que les méthodes dévotieuses ou mystiques. Combien de fois, d'ailleurs, ne nous est-il pas répété que ce qui compte, ce n'est pas les manifestations de la piété, ou bien la caste où le sort vous a placé, mais la conduite ! Le bouddhisme n'a pas eu le monopole d'un tel enseignement.

Même sur le plan religieux, la Délivrance telle que la conçoivent les Çankariens (p. 86) est un état où l'être est capable d'aider au bien du monde : la *nivritti*, attitude du non-agir, n'exclut pas nécessairement l'exercice d'un certain altruisme.

Chapitre VI

LES SECTES

1. **Généralités.** — L'hindouisme que nous avons décrit jusqu'ici comme un tout est à considérer à présent dans sa fragmentation doctrinale et locale — les sectes — ainsi que dans son évolution historique.

Les sectes n'ont jamais, il s'en faut, atteint la totalité des adeptes, nombre d'entre elles sont des groupements minuscules et, même parmi les plus importantes, l'adhésion a dû être souvent plus nominale que réelle. Mais enfin il y a là un fait important, situé à l'origine de la plupart des développements nouveaux qu'a pu traverser l'hindouisme classique. Sans les sectes, c'eût été dans une large mesure l'immobilité, et probablement la décadence.

Qu'est-ce que la secte ? C'est un mouvement fondé par une personnalité, dont l'activité peut se présenter comme une réforme par rapport à une secte antérieure. Le fait que les fondateurs des sectes les plus anciennes sont des personnages de légende ne change rien à la nécessité d'une « création » individuelle. L'objet de cette création est en général de réagir contre certains abus, de revenir à des formes plus pures, qu'on veut instaurer tantôt parce qu'on estime qu'elles appartiennent à une tradition authentique, tantôt au contraire, parce qu'on veut faire œuvre de progressiste. Le détail des faits varie infiniment, mais des analogies nombreuses existent entre les carrières de tel ou tel de ces fondateurs, la constitution soit par eux-mêmes, soit (après leur mort) par leurs premiers disciples, de ces communautés nouvelles, qui peuvent être entièrement laïques, mais qui plus souvent comportent un élément monastique ou un groupe de « renonçants ». Les influences réciproques, voire les duplications, n'ont pas manqué dans l'élaboration des sectes, surtout des plus récentes. Les signes sectaires sont l'adhésion à des livres saints, ou bien nouvellement rédigés, ou bien choisis dans la tradition ; l'attache à une forme spéciale (fût-elle rudimentaire) de spéculation cosmo-philosophique, d'éthique, de représentation divine. Accessoirement il y a des signes extérieurs, comme le signe en forme de U sur le front, dans les mouvements vishnuites, les trois barres horizontales dans les çivaïtes.

Le gros des sectes se répartit précisément entre ces deux groupes, vishnuites et çivaïtes ; les *çâktas* (p. 97), autre groupe massif, peuvent être considérés comme un développement çivaïte particulier ; quant aux autres séries, elles sont dispersées et en fin de compte négligeables ; certaines ont pu avoir quelque importance dans le passé, dans des régions déterminées ; elles n'en ont plus guère, sauf les Smârtas ou « tenants de la *Smriti* (tradition consacrée par la mémoire) ». Mais les Smârtas sont bien moins une secte que la désignation générique des Hindous orthodoxes, ceux qui conservent le rituel privé de type védique et sont censés se recommander de Çankara en tant que représentant des formes non sectaires du *Vedânta* (p. 23). En fait, les Smârtas pratiquent une *pûjâ* qui n'est rien moins qu'orthodoxe, le *pancâyatana* (p. 81), certains se rallient au culte de la Trimûrti (p. 37), d'autres sont çivaïtes. Ce sont moins des traditionnels que des éclectiques.

Parmi les sectes isolées, citons pour n'avoir plus à y revenir les Sauras ou adeptes du culte solaire, qui ont pu jouer quelque rôle au cours du Ier millénaire, peut-être sous une impulsion venue de l'Iran (p. 30) ; les Gânapatyas ou « sectateurs de Ganeça (p. 37) » se laissent également attester aux mêmes époques, sans qu'on puisse préciser leurs doctrines. Quant aux vishnuites et aux çivaïtes, il n'y a guère de traits qui soient communs à l'ensemble des mouvements relevant de ces désignations, si ce n'est que les uns comme les autres ont puisé leurs conceptions philosophiques dans le *Vedânta* et dans le *Sânkhya* (p. 23), le vishnuisme étant plutôt *vedântin*, le çivaïsme plutôt *sânkhya*, mais sans constance. Le tantrisme (p. 61, 76) s'est développé des deux côtés, avec une préférence pour les sectes çivaïtes : apparemment sorti du çivaïsme, il a dû se créer pour les besoins d'une secte ou d'un groupe de sectes déterminé, mais il a largement débordé dans des zones plus générales de l'hindouisme. Notons enfin que les conflits intersectaires sont rares ; les proscriptions contre tel mouvement (ainsi contre les Mânbhâvs du pays marathe) qui ont pu avoir lieu s'expliquent par l'attitude intransigeante d'adeptes prétendant non seulement s'isoler mais combattre ouvertement l'hindouisme. Ces conflits sont d'ordre social plus que religieux : en matière religieuse, du moins à l'intérieur de l'hindouisme, la tolérance est de beaucoup la note dominante.

2. **Origine des sectes.** — Les premières sectes dont l'historique se laisse retracer avec quelque précision sont celles du XIIe siècle : c'est dire que nous attei-

gnons ces mouvements à une époque où, comme on l'a noté, chacune de ces croyances avait dit plus d'une fois déjà son dernier mot. Cependant des noms apparaissent dans un passé bien plus lointain : dès l'Epopée on fait mention des Pâçupatas du côté çivaïte, et plus fréquemment des Bhâgavatas et des Pâncarâtras du côté vishnuite. Il est peu probable que ces termes désignent des masses religieuses indifférenciées, d'autant plus qu'à la doctrine des Pâncarâtras par exemple est agrégée, dans l'épisode épique du *Nârâyanîya*, une théologie particulière qui répond bien à celle des traités sectaires de date ultérieure. Mais enfin, pendant longtemps, nous n'avons aucune description de secte proprement dite, pas d'allusion au moindre schisme. L'exemple lointain du Mahâvîra et du Buddha, ces fondateurs de religions « hérétiques », totalement séparées de l'hindouisme, ne semble pas avoir été suivi dans l'Inde postérieure, durant mille cinq cents ans au moins. D'autre part, il est probable qu'il existait dès l'origine un çivaïsme et un vishnuisme diffus, non organisé, auquel se rapportent sans doute des témoignages sporadiques durant le cours du Ier millénaire.

On pourrait résumer ainsi les différences essentielles, sur le plan doctrinal, entre çivaïsme et vishnuisme : les sectes çivaïtes adhèrent en principe au *Vedânta* non dualiste *(advaita)*, c'est-à-dire à la thèse suivant laquelle le monde est irréel, les phénomènes étant le produit de l' « illusion » *(mâyâ)*, que seule la « connaissance » *(jñâna)* perce à jour. La délivrance hors de cette *mâyâ* est facilitée par la discipline du *yoga* et par le culte. Pour la plupart des vishnuites au contraire, le monde est réel, en tant que Vishnu y est omniprésent : l'Etre absolu fait la grâce aux hommes de « descendre » sur terre et de s'offrir aux transports qui confèrent la délivrance et l'union mystique avec lui. Le dieu est adoré sous un aspect humain glorieux. La *bhakti* joue un rôle plus important que chez les çivaïtes, ou du moins elle est plus extériorisée.

3. **Sectes çivaïtes.** — C'est ce çivaïsme diffus que nous voyons servir, en quelque sorte, de religion d'Etat, dans la plupart des dynasties indiennes, au moins à partir du VIIe siècle ; c'est lui dont se réclame la tradition lettrée, en partie sans doute parce que Çiva se trouvait être le patron naturel des entreprises littéraires. Le rituel çivaïte, l'ensemble des pratiques extérieures, sont relativement développés, élaborés ; les doctrines spéculatives (qui n'existent que dans certaines sectes) mettent en évidence les processus d'identification de l'individu à l'Etre suprême : de là le penchant du çivaïsme pour le *Yoga*, pour le tantrisme, alors qu'au contraire le phénomène de la *bhakti*, l'amour-foi (p. 62), tout en étant présent chez des personnalités isolées, ne semble avoir imprégné les sectes qu'à une époque tardive, et peut-être par influence des sectes vishnuites.

Les Kâpâlikas (qui tirent leur nom de Çiva *kapâlin*, c'est-à-dire « porteur de crânes humains ») apparaissent en littérature vers le VIe siècle ; c'est moins une secte qu'un groupement d'ascètes à tendances extrêmes, plus ou moins méprisés pour leur comportement grossier ; ils semblent se continuer dans les Aghorîs ou Aghorapanthîs qui survivent encore de nos jours, en partie épurés, dit-on, sous l'influence de Kabîr (p. 25). A un niveau plus élevé se situent les Gorakhnâthîs (ou Kânphatayogîs « Yogins aux oreilles fendues ») qui vénèrent pour leur maître un personnage qu'on a souvent présumé légendaire (il a été déifié, d'ailleurs, dans l'Inde du Nord), Gorakhnâth (Gorakshanâtha en sanskrit), qui en fait a pu vivre au XIe siècle, dans le Bengale oriental. Le mouvement, qui comporte de nombreuses sous-sectes et un rudiment de spéculation, consiste essentiellement en une école de *Yoga (Hathayoga)* ; il a toute une littérature et subsiste à l'heure actuelle en diverses places du Nord.

Les Pâçupatas ou « adeptes de (Çiva) *paçupati* » attestés épigraphiquement au IXe siècle, disparus vers le XIVe siècle, paraissent avoir été identiques aux Lakulîças, ainsi appelés du nom d'un docteur du *Yoga*, Lakulin, qui les aurait groupés. Ce sont aussi des Yogins qui utilisent pour parvenir à l'extase mystique des pratiques sauvages, fantastiques, danse, rires, etc. Néanmoins une doctrine spéculative s'est ébauchée, fondée sur un dualisme entre les âmes ou *paçus* (proprement « bêtes ») et le maître *(pati)* ou Çiva, dont le corps est « fait d'énergie ».

Les autres sectes ont pour Canon, directement ou indirectement, les textes sacrés qu'on appelle les *Âgamas* (p. 22) ; le rituel et les doctrines sont distincts de ceux du tantrisme à base de çâktisme. L'âme est conçue comme enchaînée par le « triple lien » ou affectée par la « triple souillure » (l'ignorance, le *karman*, p. 56, la *mâyâ*, p. 51) ; elle accède à la délivrance par la grâce du Maître. Sur les *Âgamas* repose le *Çaivasiddhânta* ou « corps de doctrines çivaïte », vaste ensemble spéculatif attesté surtout en langue tamoule (XIIIe s.), qui postule l'existence éternelle de trois grands principes, le Maître (Çiva), le « lien » (= la matière, *pâça*), l'âme. Çiva crée et gouverne le monde par l'intermédiaire de l'« énergie », *çakti* (p. 44). Si l'on connaît bien les doctrines, qui sont un compromis entre le *Vedânta* et le *Sânkhya*, en revanche on sait fort peu de choses sur l'organisation en pays tamoul ; il semble qu'on ait été en présence de monastères distincts, dirigés pour la plupart par des chefs *(mahânt)* non-brâhmanes. On a retrouvé en Insulinde des textes remontant à un *Siddhânta* ou « corps de doctrines » de langue sanskrite, lequel paraît avoir été l'intermédiaire entre les vieux *Âgamas* et le *Siddhânta* tamoul.

Le Çivaïsme du Kaçmîr, désigné aussi sous le nom de *Trika*, le système « à triple (enseignement) », fait son apparition au VIIIe siècle, et semble d'abord une réaction contre le dualisme (apparent) des *Âgamas*, mais à y regarder de plus près il s'inscrit dans le prolongement direct des *Âgamas*. Il en existe des nuances diverses, dominées par la personnalité éminente d'Abhinavagupta au Xe siècle. La spéculation, fort élaborée, repose sur un non-dualisme pur, à la fois réaliste et idéaliste, l'Être absolu (sous les traits de Çiva) étant toute intelligence *(caitanya)* ou « vibration » *(spanda)*, c'est-à-dire principe cinétique. Le monde résulte d'une objectivation de la pensée de Çiva ; il est produit par l'évolution de trente-six éléments *(tattva)*. L'accès à la Délivrance a lieu par « recognition » : l'âme reprend conscience des vérités relatives à sa condition réelle, vérités qui avaient été obnubilées par la *mâyâ* ou « illusion ». Dans le détail, il y a des influences tantriques et bouddhiques. Mais on ne sait rien de précis sur les formes religieuses et les habitudes communautaires. Ce semble avoir été un mouvement purement spéculatif.

Enfin les Vîraçaivas, « les çivaïtes à l'état héroïque » ou encore les Lingâyats « les porteurs du *linga* (p. 43) », se sont constitués vers le XIIe siècle aux confins sud du pays marathe, sous l'impulsion d'un certain Basava (qui peut-être fut simplement le réformateur d'un mouvement plus ancien). La ségrégation passe pour avoir été drastique : la secte rejette le Véda, abolit les images, les castes, rejette maints usages de l'hindouisme commun ; sur le plan social elle travaille à l'émancipation sociale des femmes ; à cet égard elle se tient aux limites extrêmes de la religion indienne, tout en conservant cependant les rites privés, les sacrements ; il y a même une sorte de baptême destiné à pourvoir l'enfant de « huit cuirasses » contre le péché. La théologie est plus conservatrice que le rituel : c'est un non-dualisme « qualifié par la *çakti* (p. 44) », dans lequel âmes et matière sont des réalités issues de la *çakti*. La Délivrance s'obtient en six stages par la pratique de l'amour-foi pour Çiva. La secte est dirigée par des moines ambulants qu'on appelle les *jangamas* ou « Lingas en mouvement » ; il y a cinq monastères originels (p. 87), qui ont essaimé en divers points du territoire ; la littérature est assez considérable, textes savants en sanskrits, textes populaires (notamment des *vacanas* ou « sermons », certains attribués à Basava lui-même) en kannara, parfois en tamoul. Parmi les pratiques singulières, notons le port d'un *linga* dans un étui suspendu au cou (d'où le nom de Lingâyats donné à la secte).

4. **Les çaktas.** — On peut rattacher librement au çivaïsme le culte de la déesse Durgâ (et des formes parallèles), soit qu'il apparaisse à l'état distinct, soit qu'on le trouve joint à celui de Çiva. La base de ce culte réside dans la croyance en la *çakti* ou « énergie » divine (d'où le nom de *çâktas* et çâktisme donné à ces sectes) émanée de tel ou tel grand dieu, tout particulièrement de Çiva, et qui se développe de manière autonome en refoulant souvent à l'arrière-plan, à l'état de vague parèdre, le culte du dieu mâle. Les origines de cette croyance sont lointaines, on en trouverait les premières traces dans le Véda et elle a pénétré dans nombre de formes religieuses qui ne sont pas spécialement d'appartenance *çâkta*. D'autre part le rituel *çâkta* s'est confondu dans une large mesure avec le rituel tantrique (p. 76), au point qu'on s'est demandé si çâktisme et tantrisme n'étaient pas des termes synonymes. On peut affirmer cependant qu'il y a un culte *çâkta*, non tantrique ou non nécessairement tantrique, au sujet duquel les premières indications littéraires sont fournies par l'historiographe Bâna au VIIe siècle. Les livres de base sont le *Devî-Bhâgavata (-Purâna)*, antérieur au XVe siècle, le *Candî-Mâhâtmya* (p. 67). Les sacrifices animaux (éventuellement, dans l'antiquité, les sacrifices humains) y ont joué un rôle prépondérant (cf. p. 72), et le siège de prédilection de ces sectes a été le

Bengale : c'est le çâktisme qui est responsable du déclin du vishnuisme bengali. D'autre part, il y a une littérature récente de type *çâkta*, consistant en l'adoration de la Mère divine, avec des accents de« dévotion émotionnelle» analogues à ceux qu'on perçoit dans le krishnaïsme : c'est la tendance qu'illustrent au XVIIIe siècle les poètes bengalis nommés p. 25. Mais il s'agit là d'effusions lyriques, qui trouveraient leur place aussi bien dans les nombreuses glorifications de la Déesse ayant pris forme littéraire à travers l'Inde, à toute époque.

La littérature *çâkta* est considérable, en majeure partie de langue sanskrite.

5. Sectes vishnuites. — Les Bhâgavatas ou les « dévots du Bienheureux » doivent être, à date ancienne, des vishnuites indifférenciés ; toutefois le terme peut aussi désigner çà et là un type particulier de vishnuites, ceux qui mettent l'accent sur l'amour dévot : en relèvent sur le plan littéraire, depuis la fin du XIIIe siècle, les *bhaktas* ou« dévots» du pays marathe, qui chantent des« glorifications» ou *abhangs*, sortes de sermons psalmodiés à l'adresse du dieu Vitthal ou Vithobâ (p. 39) et de ses épouses. On trouve encore aujourd'hui de ces *bhaktas* marathes, à piété syncrétiste, porteurs de traditions populaires, et qui se rallient lointainement au *Bhâgavata-Purâna* (p. 22) comme leur livre de chevet ; ce sont des confréries libres plutôt que des sectes véritables, et il y a parmi eux nombre de chanteurs à gages, les Haridâsîs. Hors du pays marathe, les *bhaktas* appartiennent souvent à des sectes précises.

Il est malaisé de saisir le lien historique qui a existé entre les Bhâgavatas et les Pâncarâtras (ce dernier nom est de signification incertaine). Ces derniers paraissent avoir été à date ancienne les dépositaires du Canon proprement vishnuite, celui qu'on désigne sous le terme global de *Samhitâs* (p. 22). La littérature des *Samhitâs*, qui émane du nord de l'Inde, pense-t-on, et peut remonter au VIIe siècle, institue la théologie, le rituel et l'organisation typiquement vishnuites. Elle postule un« *brahman* (p. 12) suprême» personnel à la fois immanent et transcendant, qui revêt les visages de Vishnu, de Vâsudeva, de Nârâyana ; l'univers est conçu comme le produit d'une *çâkti* ou« énergie» inhérente à ce principe suprême. La spéculation cosmogonique est particulièrement développée, avec la théorie des *vyûhas* ou« déploiements» (p. 39), issus des« qualités» du *brahman*, et engendrant des séries de « créations » successives. Les thèses afférentes à la Délivrance sont diversifiées. L'adhésion personnelle comporte une initiation à cinq actes.

Si le Pâncarâtra n'est guère autre chose qu'un corps de doctrines, les mouvements qui en procèdent sont de type nettement sectaire. Le mouvement *çrîvaishnava* « (adhésion) à Vishnu et à son épouse Çrî», qui s'est fixé en pays tamoul, en est le développement naturel, tout comme le *Çaivasiddhânta* (p. 96) l'était par rapport aux *Âgamas* çivaïtes. Les premiers maîtres du çrîvaishnavisme sont les Âlvârs (p. 25) qui ont cristallisé l'amour-foi à coloration vishnuite et ont fourni la littérature hymnique et narrative de type populaire. Mais le mouvement, originaire peut-être du IXe siècle, ne prend une réelle individualité qu'avec l'apparition de Râmânuja. Râmânuja, le premier grand nom du vishnuisme philosophique, est né dans la région de Madras au XIe siècle et a institué une forme de *Vedânta* (p. 23) reposant sur la notion du« *brahman* qualifié», c'est-à-dire d'un dieu personnel, pourvu d'attributs, englobant âmes et choses ; il développe la thèse d'une dévotion, à tendance encore partiellement intellectuelle, il introduit la notion de *prapatti* (p. 62). De lui date en somme l'interrelation entre le *Vedânta* et la religiosité sectaire, par réaction contre Çankara (p. 86). Les Çrîvaishnavas adorent exclusivement Vishnu, ils ont un corps de règles strictes concernant la nourriture et la caste, des maîtres qui sont obligatoirement des brâhmanes. Le mouvement s'est toujours maintenu de préférence dans le Sud. Après Râmânuja, il revient en partie à certaines valeurs de l'hindouisme commun ; il s'ensuit une sorte de schisme, où l'Ecole du Nord, conservatrice, s'oppose à l'Ecole du Sud qui adopte des thèses radicales en matière de grâce divine : la première est caractérisée par la« méthode du singe » : l'effort personnel y est considéré comme efficace, tel l'effort du petit singe qui en cas de péril se cramponne à sa mère et est ainsi sauvé. La seconde représente la « méthode du chat » : la chatte prend ses petits par la peau du cou et les sauve sans qu'ils aient à intervenir. Les Râmânujas (sectateurs de Râmânuja) sont nombreux, aujourd'hui encore, en pays tamoul ; la littérature, sanskrite et tamoule, considérable.

Les Râmânandîs introduisent dans le vishnuisme un vent de réforme. Leur chef, Râmânanda (XVe s. ?), d'appartenance *çrîvaishnava*, relâche les règles de nourriture et de caste, laisse tomber le sanskrit dans l'usage religieux au profit des vernaculaires et inaugure une tendance assez largement démocratique ; d'autre part, il fonde un corps de moines, les *vairâgins*, à discipline relativement légère. Râmânanda se préoccupe peu de philosophie et de théologie, conservant pour l'essentiel les thèses *çrîvaishnavas*. Mais le fait nouveau est que la divinité suprême s'appelle Râma : c'est la première secte nettement râmaïte qui surgisse dans l'histoire.

Des Râmânandîs sortent plus ou moins directement une quantité de sectes à partir du XVe siècle, et certaines ont pris l'allure de mouvements réformés, insistant sur les tâches sociales ou éthiques, ne retenant de l'hindouisme que les faits élémentaires. Ce sont en particulier les Kabîrpanthîs, au XVIe siècle, qui d'ailleurs ont fait retour peu à peu aux pratiques communes après les avoir, sous l'influence de leur chef Kabîr (p. 25), abandonnées au profit d'une large réconciliation des castes et des sectes sur la base du monothéisme non figuratif ; Kabîr, chez lequel on a présumé une influence *sûfî* (de fait, il est revendiqué par les Musulmans), dispensait cet enseignement éclectique dans d'innombrables strophes édifiantes qui servent de « canon » à la secte.

De Kabîr dérivent partiellement les Sikhs, qui sont censés déborder les limites, si flottantes soient-elles, de l'hindouisme. Cependant le mouvement sikh, fondé par Nânak (1469-1538), un panjâbi de la région de Lahore, retient encore une partie des rites privés, il adhère au panthéisme du *Vedânta*, à l'amour-dévot, au culte du *guru* ou « maître spirituel », qu'il pousse d'ailleurs à un degré extrême. La littérature, composée d'hymnes pour une large part, trahit une double influence, celle de Kabîr et celle du rigorisme musulman. Les neuf maîtres qui suivent Nânak complètent l'hymnaire de la secte et le codifient en ce qu'on appelle le « Noble Livre » *(Granth)*, un gros recueil rédigé en hindi (avec des portions en panjâbi), augmenté de pièces liturgiques, de morceaux divers : c'est le Canon sikh. Mais, plutôt que dans les faits religieux, l'originalité du mouvement réside dans l'orientation politique, laquelle a tendu à la création d'une caste dirigeante, théocratique et militaire, la Khalsâ : les pratiques normales sont remplacées par le culte du Livre sacré et de l'épée, la guerre sainte permanente est déclarée contre les Musulmans, une sorte de baptême initiatique instauré. Ce fut l'œuvre surtout du dixième *guru*, Govind (1675-1708) ; un chef ultérieur, Bandâ (mort en 1716), faillit déclencher un schisme par son attitude extrémiste ; la scission s'atténua en sous-sectes. A partir du XVIIIe siècle, le mouvement sikh intéresse l'histoire politique beaucoup plus que l'histoire religieuse. Ici comme ailleurs, des usages hindouistes se réinstallent, des idoles reparaissent dans les maisons privées, alors que le culte public, dans les Gurudvâras ou « Portes du guru », avec les récitations et chants du Livre sacré, demeure purement « sectaire ». Il existe un concile pour trancher des problèmes spirituels et temporels.

La secte est florissante, de nos jours encore, au Panjâb ; des coups très rudes lui ont été portés lors des émeutes qui ont marqué, en 1947, la séparation de l'Inde et du Pakistan ; la ville sainte des Sikhs, Amritsar, le siège du « Temple d'Or », a été gravement endommagée, et la communauté sikh dispersée dans de vastes zones du territoire hindou.

Les sectes vishnuites qu'il nous reste à considérer, tout en ayant pour trait commun l'amour-foi, comme plusieurs des sectes précédentes, se rattachent peut-être aux anciens Bhâgavatas (p. 98) et, du point de vue doctrinal, développent des interprétations autonomes du *Vedânta.* La première en date est celle des Mâdhvas, fondée par Madhva, alias Ânandatîrtha (XIIIe s.), docteur du pays kannara, qui enseigne une Délivrance acquise par intuition immédiate de la divinité ; la spéculation demeure assez voisine de celle de Râmânuja, plus éclectique toutefois ; on y relève notamment la thèse (rare dans l'Inde) d'un enfer éternel, d'un paradis fait de félicités sensuelles. La position philosophique est le dualisme intégral : face à face Vishnu omniprésent, et d'autre part les âmes et la matière. Les ascètes relèvent des ordres çankariens (p. 86). La littérature (surtout en sanskrit) est assez importante. La doctrine est en faveur, aujourd'hui encore, dans le Sud, plutôt dans les classes intellectuelles que dans les couches populaires.

Les Vishnusvâmins, fondés par le maître du même nom, dans le Sud, peut-être dès le XIIIe siècle, sont voisins des Mâdhvas, mais en fait la secte a été absorbée de bonne heure par les Vallabhas ou Vallabhâcâryâs, qui relèvent d'un docteur telugu du XVe siècle, du nom de Vallabha. Celui-ci, sur le plan philosophique, revient à la conception du non-dualisme « pur », où le monde résulte d'une transformation interne de l'Absolu. Vallabha élabore une théorie de l'amour-foi, en postulant une double voie vers la Délivrance, la voie dite de la « frontière », qui requiert un effort personnel, et celle de la « floraison », qui repose entièrement sur la grâce divine. Le culte, adressé à Krishna, consiste en adorations, qui s'adressent tant au dieu lui-même qu'au *guru* ou chef spirituel de la secte, lequel, identifié à Krishna le dieu-berger, est installé à titre héréditaire, puisqu'il descend en ligne mâle du fondateur. Cet état de choses a entraîné à date récente (XVIIIe s.) des abus, voire des scandales d'ordre érotique, qui n'ont pas laissé de freiner l'expansion de la secte.

Plus purs sont les Nimbârkas ou Nîmânandîs, qui se réclament d'un autre docteur du *Vedânta*, Nimbârka, sans doute du XIIIe siècle, un tenant du « dualisme-non-dualisme », ou, comme on dit encore, de la « différence sans différence » ;

Nimbârka cherche à établir une coordination entre l'Absolu qui est un et les objets qui sont multiples. La doctrine dérive en dernière analyse de Bhâskara (IXe-Xe s.). Quant à la pratique religieuse et à l'organisation de la secte, les Nimbârkas se rapprochent des Çrîvaishnavas postérieurs à Râmânuja. Ils existent en nombre, aujourd'hui encore, dans la région de Mathurâ (la patrie de Krishna) et dans quelques autres points.

Le plus grand nom du vishnuisme médiéval est Caitanya (1485-1533), originaire du Bengale : type d'apôtre et de visionnaire qui agit par sa présence et sa foi, plutôt que par son activité écrite, demeurée rudimentaire. L'organisation de la secte émane de ses disciples directs, notamment de six maîtres (les *gosvâmins*) qui composent en sanskrit une vaste littérature embrassant tous les domaines de la croyance. Le culte de Krishna, joint à celui de Râdhâ (p. 45), y figure dans tout son éclat, et Caitanya lui-même sera déifié tôt après sa mort en Krishna ; les descendants des *gosvâmins* sont chefs de monastères et de temples. Le rituel comporte une « glorification » psalmodiée en bengali ou en hindi, et des pratiques nombreuses qui représentent ce que le vishnuisme a imaginé de plus évolué en la matière. Le principe de la croyance est l'amour-foi, qui atteint souvent des formes paroxystiques, s'encadrant dans une cosmogonie à base de *çakti* (p. 97) et s'inspirant de types littéraires (p. 63). Le Bengale est demeuré la terre d'élection du« caitanyisme» qui paraît avoir subi peu à peu des influences du *Vedânta* non-sectaire de Çankara (p. 86). Une reviviscence s'est manifestée au XIXe siècle. L'impulsion des disciples de Caitanya donna le branle à une sorte de tantrisme sublimé chez les Sahajiyâs, lesquels résument toute la religion en un amour divin hypostasié sous la forme d'un amour platonique qui s'adresserait à une femme inaccessible. Dans la pratique, là aussi, des abus se sont produits.

CHAPITRE VII

ESQUISSE D'UNE HISTOIRE DE L'HINDOUISME

Les origines. — Les origines de l'hindouisme se perdent dans la nuit des temps, si l'on prétend rechercher les faits de croyance dispersés qui, à travers les textes védiques ou par le témoignage d'un folk-lore religieux immémorial, se laissent déceler comme « hindouistes » (p. 30). Au niveau littéraire il serait vain de vouloir remonter au delà des premiers grands textes qui font suite à ceux de l'époque védique, c'est-à-dire les *Upanishads* post-védiques les plus anciennes, la grande Epopée, les premières *Smritis* (p. 20 sq.) ; il faut tenir présent à l'esprit que la date de rédaction d'un texte (laquelle, au surplus, est en général inconnue dans l'antiquité) ne laisse rien préjuger quant à la date où ont été élaborés les matériaux qu'il contient.

Les Canons du bouddhisme et du jinisme, qui ont été compilés à une date indéterminable, dans les siècles qui ont précédé notre ère, tout en faisant de nombreuses allusions à l'état social brahmanique, nous renseignent assez mal sur le contenu même de la religion à laquelle ils s'opposent. Nous assistons à des controverses dans les milieux de sophistes et théologiens, analogues à celles qui animent les plus anciennes *Upanishads*, mais ces sophistes sont d'ordinaire des hérétiques ou des extrémistes, plutôt que des hindouistes orthodoxes : les plus remarquables sont les Âjîvikas, qui, fondés par un certain Goçâla fils de Mankhali, passent pour avoir conduit à un point extrême la théorie du *karman* (dont ils ont peut-être été les initiateurs ?) en niant la volonté libre et la responsabilité. Les sermons bouddhiques prodiguent les sarcasmes sur le privilège des castes, sur l'orgueil des brâhmanes, mais ils s'attaquent rarement au fond des croyances : tout au plus dans le *Tevijja-Sutta* où le Buddha rejette l'union de l'âme avec Brahman (masculin), pour la raison que Brahman est inconnaissable : ce pourrait être une objection issue des milieux les plus orthodoxes. Evidemment les formes religieuses elles-mêmes du jinisme et du bouddhisme primitifs s'expliquent par une longue familiarité avec l'Inde brahmanique, sinon par l'emprunt, du moins par l'utilisation de ce qu'on peut appeler un fond commun d'indianité.

Nous sommes sûrs au moins que la société brahmanique, avec ses castes, ses modes de vie, son éthique, son polythéisme populaire, avait des assises solides à l'époque où ces Canons ont été colligés. Mais, si l'hindouisme a pu avoir l'appui des petites principautés, les grandes dynasties, les premières qui émergent dans l'histoire positive, favorisent plutôt le bouddhisme. C'est le cas notamment de la dynastie des Mauryas (IVe-IIe s. avant J.-C.), dont le plus grand représentant (le troisième de la lignée), Açoka (264-226), se convertit de manière spectaculaire au bouddhisme et fait graver dans les principales provinces de son empire des édits qui enseignent à ses peuples les principes éthiques du Buddha, l'absence de violence, l'obéissance, la déférence, la charité, la vertu ; Açoka stigmatise comme vains et futiles les rites privés, il s'en prend plus encore aux sacrifices sanglants, mais se déclare le protecteur de toutes les sectes. Il se peut que les Çungas, qui succédèrent aux Mauryas à partir de 175 av. J.-C. environ, aient établi ou rétabli l'hindouisme comme religion d'Etat : il est question en tout cas de deux Sacrifices du cheval (p. 16) exécutés par le grand-père de Vasumitra pour commémorer la défaite qu'infligea le jeune prince aux Grecs (Yavanas) sur les rives du Sindhu. En tout cas la monarchie dite indo-grecque qui vers la même époque prend pied aux confins nord-ouest de l'Inde (Gandhâra, puis Panjâb et Sind) a des sympathies marquées pour le bouddhisme : le roi Ménandre (le Milinda des sources bouddhiques), qui régna vers 168-145, discute de problèmes philosophiques avec le moine Nâgasena, commande des reliquaires ; l'art gréco-bouddhique, dont l'influence allait être si profonde dans l'Asie centrale et orientale, prend naissance à la cour de ces princes.

Avec les Kushânas (Iᵉʳ-IIIᵉ s.), qui sont eux aussi des souverains étrangers, c'est également le bouddhisme qui l'emporte, tout au moins sous le principal d'entre eux, Kanishka (milieu du second siècle), qui fonde des *stûpas*, frappe des monnaies à l'image du Buddha et semble avoir effectivement protégé les communautés bouddhistes : néanmoins, là comme ailleurs, il faut faire la part des tendances hagiographiques auxquelles inclinent les textes bouddhiques. Nous savons par l'épigraphie que le vishnuisme (peut-être sous la forme plus précise du krishnaïsme) s'était installé fermement à partir du IIᵉ siècle avant notre ère, notamment dans l'Inde centrale et le Dekkan ; nous avons l'inscription curieuse du Grec Héliodore, ambassadeur du roi de Taxila Antialkidas, qui à cette date se déclarait un dévot « Bhâgavata » (p. 98) et faisait dresser à Besnagar une colonne avec l'image de Garuda (p. 39) en l'honneur du « dieu des dieux » Vâsudeva. Quant au çivaïsme, les premiers témoignages datés appartiennent au Ier siècle de notre ère : deux monarques kushânas, Kadphises II et Vâsudeva, semblent l'avoir patronné. C'est aussi à cette époque que se situe le début de la grande expansion hindouiste dans l'Asie du Sud-Est (p. 35).

Avec la dynastie des Guptas (c'est-à-dire à partir de 320), la première grande dynastie autochtone depuis les Mauryas, nous assistons à ce que certains auteurs ont appelé la « renaissance brahmanique ». On peut conserver le mot si l'on entend désigner par là l'éclosion de la grande poésie de cour d'inspiration brahmanique, celle du théâtre, des lettres profanes en général, comme aussi le début des grandes œuvres d'art non bouddhistes. Mais le terme induirait en erreur si l'on voulait laisser entendre que les époques précédentes ont été celles d'une éclipse de l'hindouisme. Ce qui apparaît clairement est que l'hindouisme est désormais patronné par une monarchie importante ; les premiers Guptas portent le titre de *paramabhâgavatas* « grands adorateurs du Seigneur » et se proclament adeptes du culte de Vishnu, comme le seront après eux quelques-uns des dynastes Câlukya de Vâtâpi (VIe s.) ; dans le Dekkan les bas-reliefs de Bâdâmi attestent la popularité du vishnuisme *bhâgavata* à la même époque. D'autre part les inscriptions, comme les œuvres littéraires, mentionnent constamment des « maîtres » çivaïtes (appelés aussi *pâçupatas*), et à partir du VIe siècle, il semble que le çivaïsme se soit substitué au vishnuisme dans la faveur de l'administration impériale. L'impression qui domine, pour la période gupta, est celle d'une large tolérance officielle, qui atteint aussi bien le bouddhisme et le jinisme que les sectes à l'intérieur de l'hindouisme même. Cette tolérance se poursuit après les Guptas jusque dans l'éclectisme religieux du roi Harsha, au VIIe siècle, qu'on a appelé l'Akbar de la période hindoue. Les rites védiques sont remis en honneur par les Guptas ; s'il n'en est plus guère question dans l'Inde du Nord (du moins en ce qui concerne le plus solennel d'entre eux, le Sacrifice du cheval), en revanche, l'Inde du Sud, qui a toujours été plus traditionaliste, atteste une série de dynasties dont l'orgueil a été de faire exécuter ces coûteuses et brillantes cérémonies. Alors que les invasions des (Huns-) Hephtalites, de 475 à 534, portent des coups mortels au bouddhisme dont elles détruisent ou dispersent les communautés monastiques, elles ne compromettent pas durablement l'essor hindouiste : leur chef Mihirakula, au début du VIe siècle, se déclarera çivaïte, tout comme son heureux adversaire, Yaçodharman de Mandasor ou comme, un peu plus tard, Çaçânka du pays Gauda auquel se heurta l'empereur Harsha.

Le développement des « systèmes » orthodoxes, dont les origines remontent certainement à une époque antérieure aux Guptas, fournit l'arme spéculative nécessaire pour fonder en droit et en raison la pensée brahmanique et pour combattre avec efficacité la critique bouddhiste. On peut situer au VIe ou VIIe siècle les débuts du tantrisme, qui couvait sans doute depuis longtemps, et qui commence maintenant à s'accréditer tant par une littérature autonome que par la déviation même qu'il imprime aux formes religieuses étrangères.

Du VIIIe au XIIe siècle (c'est-à-dire jusqu'à la conquête musulmane), c'est la période qu'on appelait autrefois celle des « Râjputs », où dominent une série de monarchies locales à base *kshatriya* (p. 88). Le déclin du bouddhisme, que constate pour l'Inde centrale et méridionale le Chinois Hiuan-tsang au milieu du VIIe siècle, est précipité dans le Sud par l'activité des « saints » tamouls, les Âlvârs et les Nâyanârs, tandis que le coup décisif lui sera porté par les grands commentateurs de textes philosophiques qui se succèdent à partir du VIIIe siècle : Çankara comme représentant du *Vedânta* non-dualiste (p. 23), Kumârila (sans doute à la même époque), le grand docteur de la *Mîmâmsâ* (p. 23), au Xe siècle, le logicien Udayana, aux XIe-XIIe, l'introducteur du *Vedânta* « sectaire », Râmânuja (p. 99). Les premiers systèmes se constituent qui établiront la fusion définitive entre la spéculation et la croyance religieuse, le non-dualisme qualifié des Çrîvaishnavas (p. 99) du côté vishnuite, le *Siddhânta* et le *Trika* (p. 96) du côté çivaïte. Les sectes se multiplient d'ailleurs à partir du XIe siècle, favorisées sans doute par la création de monastères ou d'ordres religieux (notamment en milieu vishnuite), création qui s'était faite sous l'impulsion de Çankara dès le IXe siècle (p. 86). Mais le fait majeur est l'épanouissement de la *bhakti* (p. 62) qui désormais dominera la plupart des doctrines et des formes de pensée : on ne peut guère en situer exactement les débuts. Son extension va de pair avec l'extension considérable du vishnuisme populaire dans l'Inde du Nord. Cependant les clans râjputs et les monarchies multiples, éphémères ou durables, qui se partagent le continent indien dans toute cette période, et qui tous adhèrent, au moins nominalement, à l'hindouisme, sont plus souvent çivaïtes que vishnuites : c'est ce qui se présente en tout cas pour les Colas du Sud-Est (X-XIe s.), auxquels ont doit plusieurs des grands temples çivaïtes de l'Inde méridionale. Signalons enfin que l'esprit tolérant de l'époque des Guptas ou de Harsha a fait place à un fanatisme qui s'est traduit çà et là par des persécutions : celles-ci ont eu lieu surtout en territoire dravidien, tantôt contre les bouddhistes, tantôt contre les jainas, sur l'initiative des Çrîvaishnavas et, avec plus de virulence, sur celle des Lingâyats (p. 96), aux alentours du XIIe siècle.

La longue période qui suit, du XIIIe siècle à nos jours, ne se laisse pas découper en tranches nettes du point de vue de l'évolution religieuse. L'établissement de la monarchie turco-afghane de Delhi, au XIVe siècle, puis celle des Grands Moghols à partir de 1526, amène entre Hindous et Musulmans un contact prolongé, une symbiose, qui se traduit par certains échanges spirituels et culturels, susceptibles d'enrichir l'une et l'autre pensée (p. 31, 34), mais qui, plus souvent, suivant le caprice des souverains, aboutit à des persécutions : conversions forcées, destruction de temples ; le règne de Fîrûz au XIVe siècle, celui de Sikandar et de la dynastie Lodi à la fin du XVe, sont à cet égard parmi les plus nocifs. Peu à peu, une masse considérable d'hindouistes, plus du quart de l'ensemble, sera arrachée à la communauté et entraînée de gré ou de force dans les voies de l'Islâm, tout en conservant sur le plan social maintes attaches avec le *dharma* hindou. Quelques provinces échappent à cette révolution, ainsi Mithilâ, à l'extrême Nord, et naturellement la plupart des provinces du Sud où l'élément musulman pénétra peu ou point. Sous les Moghols, il faut cependant noter, comme une heureuse exception, l'exemple de l'empereur Akbar (XVIe s.) qui substitue au « régime des cimeterres » une administration animée d'un large esprit de tolérance ; son essai de « religion divine » atteste la préoccupation de rechercher une synthèse entre les deux grandes fois rivales, sur la base d'une mystique supérieure aux différenciations de la pratique religieuse banale. Akbar donne les mêmes droits aux Hindous qu'aux Musulmans, fait traduire des ouvrages sanskrits ; son arrière petit-fils, l'infortuné Dârâ Shukoh, sera l'initiateur de la traduction des *Upanishads* en persan, grâce à laquelle l'Europe devait, un siècle et demi plus tard, entrer en contact avec la spéculation philosophique de l'Inde ancienne.

Mais les progrès de l'Islâm n'entravent nullement le développement littéraire de l'hindouisme ; les commentaires philosophiques et religieux se multiplient, le *Vedânta*, particulièrement riche en vitalité, irradie en nuances nouvelles, prolonge à perte de vue les thèses de l'Advaita çankarien (p. 23). Les littératures du Sud puis celles du Nord se mettent les unes après les autres au service de la pensée hindouiste, sans entraver pour autant la productivité des œuvres sanskrites. Les mouvements sectaires se développent, surtout dans la zone vishnuite ; le vishnuisme est caractérisé par un esprit de prosélytisme beaucoup plus marqué que le çivaïsme ; les sectes râmaïtes font leur apparition au XVe siècle avec Râmânanda (p. 99) ; le sikhisme (p. 100) est un lointain descendant des types de dévotion vishnuites caractérisés par la *bhakti*. C'est à ces communautés religieuses, grandes ou petites, qu'on doit presque tout ce qui a marqué dans l'invention littéraire, et, jusqu'à un certain point, dans la constitution même des langues de culture d'un bout à l'autre de la péninsule.

S'il n'y a plus guère de monarchies hindoues qui durant cette longue période aient fait du çivaïsme ou de l'hindouisme une « religion d'Etat », comme aux époques précédentes, du moins l'empire de Vijayanagar, au cœur de l'Inde méridionale, entre les XIVe et XVIe siècles, atteste-t-il un renouveau général des usages hindous, dont bénéficient les conceptions religieuses : l'attitude de ces souverains est éclectique et tolérante ; ils protègent pareillement les sectes d'origine indienne, y compris les sectes bouddhistes, qui, disparues partout ailleurs à cette époque, prolongent là leur survie ; ils accordent même leur patronage aux petites communautés islâmiques, chrétiennes, juives qui vivent sur leur domaine.

A partir du XVIIIe siècle, le savoir traditionnel tend à décliner dans la plupart des disciplines littéraires ; l'influence de la technique occidentale, celle du christianisme depuis les débuts du XIXe siècle, modifient insensiblement le substrat religieux de l'Inde. Il n'y a plus à partir du XVIIIe siècle de création de sectes (au sens ancien du mot) de quelque importance, et plusieurs, qui existaient depuis longtemps, s'étiolent ou disparaissent. Mais c'est précisément au début du XIXe siècle que commencent à émerger une suite de personnalités remarquables, qui donnent un accent tout nouveau à l'hindouisme et, sur un plan plus élevé que celui des croyances populaires, semblent promettre à ces spéculations un destin que nul ne saurait encore prévoir.

Ce sont ces mouvements dont il nous faut maintenant dire un mot.

CHAPITRE VIII

L'HINDOUISME CONTEMPORAIN

1. Généralités. — Quand on pense à l'hindouisme contemporain, on a en vue beaucoup moins les croyances et les coutumes de la masse, lesquelles n'ont pas sensiblement changé depuis un passé lointain, que l'apparition de certains individus remarquables, qui représentent l'hindouisme tel que l'Occident le voit et le juge, et qui aux yeux de nombreux Hindous eux-mêmes illustrent ce qu'on appelle (une fois de plus) la renaissance de l'hindouisme. La plupart de ces personnages ont laissé derrière eux une trace durable de leur passage, sous la forme d'un groupement spirituel de disciples et d'adhérents. En dépit des apparences, ces groupements ne sont guère comparables aux sectes du passé ; les préoccupations proprement spirituelles, éthiques, éventuellement sociales, nationales, y jouent un rôle bien plus important que le culte ou l'organisation en « églises ». Sans doute des aspirations analogues s'étaient manifestées depuis longtemps, depuis le XIIe siècle au moins, mais le dosage, les perspectives sont désormais toutes différentes. Ajoutons l'influence, avouée ou non, des sectes chrétiennes et plus généralement d'une certaine forme de spiritualisme occidental (accompagné le cas échéant de tendances au romantisme social).

Enfin l'universalisme de plusieurs de ces mouvements nouveaux tranche avec l'esprit « communal » des sectes anciennes.

2. **Râm Mohun Roy.** — Râm Mohun Roy, un brâhmane bengali né en 1772, eut de bonne heure l'idée d'étudier plusieurs grandes religions extérieures à l'Inde : muni de ces connaissances, rares à l'époque, il fut bien armé pour combattre l'idolâtrie et les abus, tandis que, dans une série de petites publications à large diffusion, il répandait des idées libérales en matière éducative, sociale, politique. Fort au courant des textes religieux de l'Inde ancienne, il publiait entre 1815 et 1819 un « Abrégé du *Vedânta* » et des traductions en anglais de plusieurs *Upanishads*. En 1814 il fondait à Calcutta une « Assemblée spirituelle » où certaines tendances pro-chrétiennes se combinaient avec l'hindouisme ; puis en 1828 l' « Eglise hindoue unitaire », qui prit bientôt après le nom de *Brâhmasamâj* « Société des croyants en Brahman », où le trait le plus impressionnant était de voir Hindous, Musulmans, Chrétiens, pratiquer la prière en commun. Cette sorte de syncrétisme dévotionnel est appelé parfois le brâhmoïsme. Râm Mohun Roy conserva d'ailleurs jusqu'au bout ses croyances hindoues, et il eut à polémiquer ardemment contre les Missionnaires chrétiens, plus inquiets de son attitude « unitaire » qu'ils ne l'eussent été du plus orthodoxe hindouisme. Les critiques ne lui furent pas ménagées davantage du côté de ses compatriotes ; il s'épuisa en pétitions, défenses et controverses, et vint mourir en Angleterre en 1833 : il s'était rendu en Europe afin de prendre contact avec des personnalités religieuses d'Occident ; il s'était arrêté quelque temps à Paris et dans plusieurs villes de province françaises.

Le *Brâhmasamâj* survécut à son fondateur, grâce au zèle des amis personnels de Râm Mohun, en particulier de Dvârkanâth Tagore (le grand-père du poète). Le fils de Dvârkanâth, Debendranâth le « grand *rishi* », fonda de son côté, peu après, une société appelée *Tattvabodhinî Sabhâ*, pour la restauration du monothéisme sur des bases purement hindoues. Cette société fusionna avec le *Brâhmasamâj* en 1842. D'une manière générale, le retour à certaines traditions hindoues s'opéra progressivement dans la confrérie, qui sur d'autres points demeurait fidèle à sa tendance originelle : c'est un mouvement fait pour une élite, qui n'a guère pénétré dans les masses, mais qui a servi d'aiguillon à maints Hindous pour réfléchir davantage aux postulats de leur religion et chercher à établir celle-ci sur des bases humainement plus rationnelles.

3. Keshub Chander Sen. — Keshub Chander Sen, né en 1838 comme fils d'un médecin bengali, fut d'abord membre du *Brâhmasamâj*, mais il prit d'emblée une attitude radicale, réclamant par exemple l'abolition du régime des castes, la refonte du rituel, l'admission des femmes. Il s'ensuivit une tension qui aboutit à la rupture en 1864, quand Keshub eut proposé une réforme totale du mariage hindou. Il constitua alors un « *Brâhmasamâj* de l'Inde » ou « progressif » (l'ancien *Brâhmasamâj* devenant par voie de conséquence l'*Âdisamâj* ou « Société d'origine »). Toute trace de brahmanisme y est éliminée : on revendique la foi en un Dieu unique, sans nom ni figure, les prières étant empruntées à diverses religions, des usages chrétiens introduits.

Cependant l'autoritarisme du réformateur, ses attaches avec les milieux de missionnaires, lui aliénaient peu à peu les sympathies les plus éprouvées ;

une sorte de scandale se produisit le jour où il dut annoncer le mariage de sa fille, âgée de treize ans, avec le fils d'un mahârâja, âgé lui-même de quinze. Il s'ensuivit un schisme, et, en 1879, l'instauration du *Sâdhâranasamâj* ou « Société commune », présidé par Ânanda Mohun Bose, qui s'inspirait de principes plus souples tout en accentuant certaines tendances cosmopolites. De son côté, Keshub fondait en 1881 le *Nava Vidhâna* ou « New Dispensation Church », vraie secte de type chrétien, dont il se proclama l'apôtre et le pape. Il mourut en 1884. Aujourd'hui le *Sâdhâranasamâj* est la seule de ces branches qui ait conservé quelque importance, sinon par le nombre des adhérents (qui ne doit pas dépasser une dizaine de mille), du moins par leur qualité ; le Pandit Çivanâth Çâstrî en fut le premier missionnaire, et les dernières années du XIXe siècle ont connu des œuvres assez prospères d'ordre social et éducatif.

Citons encore le *Prârthanâsamâj* de Bombay, fondé en 1874 par P. C. Mozoomdâr, et dont le membre le plus actif fut le haut magistrat de Bombay Mahâdev Govind Rânade, l'une des plus nobles figures morales du XIXe siècle indien (1842-1901), le tenant du théisme pur. D'autres personnalités remarquables furent R. G. Bhandarkar (1837-1925) historien et érudit du pays marathe, et Gokhale, le disciple de Rânade (1863-1915).

4. Dayânanda Sarasvatî. — Un mouvement tout différent, dont les origines cependant se laissent discerner jusque dans l'œuvre de Râm Mohun Roy, est celui auquel a attaché son nom un brâhmane du Kathiâvâr, Dayânanda Sarasvatî (1824-83), un ascète des ordres çankariens (p. 86). Son ouvrage le plus répandu, le *Satyârthaprakâça* ou « Illumination du vrai sens » contient des attaques violentes contre les sectes hindouistes autant que contre les religions étrangères. L'objet de Dayânanda, en effet, est de faire retour à la tradition védique authentique, celle des Hymnes. Dans cette tradition il voyait, assez paradoxalement, les preuves d'un monothéisme foncier : c'est que, à son insu, il y réinstallait le contenu de la *Smriti* (p. 20). Le mouvement fondé par Dayânanda, qui porte le nom d'*Âryasamâj*, la « Société des Âryens », fut inauguré à Bombay en 1875 : on y pratique un culte épuré, les tendances nationalistes s'y combinent avec une action sociale assez hardie, animée d'un esprit démocratique. Ce sont les œuvres éducatives et sociales qui demeurent aujourd'hui : des collèges d'un type inédit comme le fameux *Gurukula* de Hardvâr, fondé en 1902 et qui groupait un enseignement des trois degrés, donné en hindi et en sanskrit, un *âçrama* de type « védique », un phalanstère. L'action de Dayânanda est due avant tout à son dynamisme, à ses qualités d'homme d'action, d'orateur, qui s'associaient avec un curieux tempérament d'érudit (on lui doit d'énormes commentaires du Véda). Les dissensions internes qui ont surgi après sa mort n'empêchent que son souvenir est resté très vivant dans de larges couches du public cultivé, en territoire hindi.

5. **Râmakrishna.** — Bien autrement orientée fut la carrière de Râmakrishna, le fils d'un pauvre brâhmane, né en 1834 aux environs de Calcutta. Ce fut avant tout un saint, dont l'enseignement très simple, riche en paraboles, parfois souligné de quelque humour, pouvait aisément atteindre les masses. Il posséda à un degré rare la faculté de tomber dans le ravissement extatique. Sa doctrine se borne à vulga-

riser les thèses du *Vedânta* çankarien (p. 23), mais le trait original est qu'il tint à cœur de s'informer des voies mystiques proposées par les autres religions, notamment par l'Islâm et par la chrétienté. Il réalisa ainsi diverses expériences qui le confirmèrent dans la nécessité d'établir un plan mystique supérieur aux religions particulières, une sorte de synthèse qui n'était nullement le produit d'une réflexion intellectuelle, mais l'effet d'une réalisation intime. Parmi les méthodes proprement indiennes, il poussa d'ailleurs fort loin la pratique du *Yoga* et du tantrisme ; personnellement, vishnuite fervent, il avait pourtant une prédilection pour le culte et l'image de la Mère.

A sa mort, en 1886, son plus intime disciple, Vivekânanda né en 1862, assuma la charge de traduire en action le message tout individuel de son maître. Fait pour l'activité extérieure, orateur généreux, persuasif, Vivekânanda se forgea une âme nouvelle au contact du Maître ; il délia toute attache avec le monde, fit retraite dans le Himâlaya durant six ans, puis revint dans la vie active, s'entretint avec le théosophe Subrahmanya Iyer, qui l'envoya en 1893 au Congrès des Religions à Chicago. Son éloquence, la ferveur émanant de sa personne, firent sensation. Il mourut prématurément, usé par sa flamme, en 1902. Pénétré de culture occidentale, c'est Vivekânanda en somme qui orienta délibérément le *Vedânta* vers des valeurs nouvelles où se rejoignait le meilleur des aspirations spirituelles d'Orient et d'Occident. Il fonda un « Ordre de Râmakrishna », composé de *svâmis* ou « maîtres », et en 1897 la célèbre « Mission Râmakrishna », organisme annexé à l'Ordre, assumant dans l'Inde des œuvres d'intérêt collectif, philanthropique, tandis que, hors de l'Inde, la Mission envoie dans divers pays d'Europe, d'Amérique, d'Asie des *svâmis* qui prêchent le Vedânta çankarien, plus ou moins adapté aux exigences de la philosophie moderne, aux convenances des temps et des lieux. L'activité de la Mission dans l'ordre des publications est considérable ; elle a ouvert de nombreux collèges ou monastères libres dans l'Inde, ainsi celui d'Almorâ (Mâyâvatî) dans le Himâlaya qui est réservé à la contemplation. Le quartier général est à Belûr, près de Calcutta, où l'on conserve pieusement le souvenir de Vivekânanda qui y mourut. Parmi les disciples de la première heure, il faut mentionner au moins Miss Margaret Noble, en religion sœur Niveditâ, l'auteur du livre *Le Maître tel que je l'ai vu*.

6. **Râmana Maharshi et Aurobindo Ghose.** — Les personnalités religieuses ne font pas défaut dans l'Inde contemporaine ; les plus remarquables sont les moins connues peut-être, celles qui vivent dans la retraite, sans cour de disciples. Râmana Maharshi (1879-1950), résidait au Sud de Madras, à Tiruvannâmalai : il poursuivait sur le plan de la vie mystique une expérience dont on s'accorde à souligner la valeur ; sa vocation lui serait venue d'une angoisse de la mort qu'il eut en 1891 et qu'il surmonta. Son objet était en somme de réaliser le *Vedânta* par la voie de l'ascèse, limitant son action à l'efficacité qui émane du silence, ou, tout au plus, de brefs entretiens qu'à de rares intervalles il avait avec son entourage ; son œuvre écrite est extrêmement limitée.

Çivânanda, né en 1887, fondateur de la *Divine Life Society*, met l'accent sur les pratiques hindouistes et les techniques du *Yoga* ; fondateur d'un *âçrama* à Rishikeça (Himâlaya), il se répandit en une propagande effrénée. L'un de ses disciples est Chinmayânanda. Râmdâs est un dévôt de la *bhakti*, type du « saint » traditionnel ; il a un *âçrama* près de Mangalore.

Aurobindo Ghose (Çrî Aurobindo, comme l'appellent ses adeptes) est né à Calcutta en 1872. Comme Vivekânanda il commença sa carrière au service des causes politiques ; c'est à partir de 1908 seulement que, en conséquence d'une soudaine illumination, il rompit avec la « voie de l'acte » et se consacra à la réalisation spirituelle, en son *âçrama* de Pondichéry. Il a publié ou laissé paraître sous forme de livres un grand nombre d'études, dont la plupart avaient vu le jour dans la revue mensuelle *Arya* qu'il avait fondée en 1914 : sur les Védas et les *Upanishads*, sur le *Yoga*, la *Gîtâ*, sur la « renaissance » indienne, etc. ; le plus caractéristique de ces écrits est celui qui porte le titre *The Life Divine*, en trois volumes. Il cherche dans les traditions de l'Inde ancienne (jusque dans les Hymnes védiques, au prix d'interprétations d'ailleurs philologiquement contestables) le moyen d'instaurer une conception nouvelle de l'homme religieux, dont l'idéal pourrait être valable universellement ; le passé de l'Inde, affirme-t-il, fournit la clé pour le progrès de l'humanité : le surhomme nouveau sera non un *asura*, comme celui que propose Nietzsche (type de Titan semi-démoniaque), mais un authentique être divin, possédant, grâce au *Yoga*, non seulement le pouvoir d'un dieu, mais aussi l'amour et la *sagesse*. C'est une transposition moderne de la vision du *jîvanmukta* ou « délivré-vivant » (p. 64), du *bodhisattva* de l'Inde ancienne. Aurobindo est mort en 1950.

7. **Divers.** — A côté de ces hommes entièrement préoccupés de problèmes spirituels, d'autres, comme Bâl Gangâdhar Tilak (1856-1920) sont restés fidèles à leur mission première : être les artisans de l'auto-

nomie indienne, du *Risorgimento* de l Inde politique. Mais Tilak, qu'on a justement dénommé le père du nationalisme indien (et aussi le père de l'*Indian Unrest*), appartient à l'hindouisme (au sens strict du mot) parce qu'il a été l'interprète passionné de la *Bhagavad-Gîtâ*, le tenant de thèses brillantes, audacieuses (folles d'ailleurs, du point de vue historique) sur le Véda, sur l'habitat des Âryens védiques et la chronologie des vieux textes. De même, l'action de Gandhi ne s'explique qu'en fonction de la tradition indienne, c'est-à-dire, en fin de compte, de la spiritualité : le mot d'ordre de la non-violence, le *satyâgraha* ou « emprise du vrai » et cette sorte d'ambiguïté (sans mensonge) qui caractérise sa politique résultent de l'antique *Weltanschauung* religieuse. Comme à tant d'autres, l'*Upanishad*, la *Gîtâ* lui étaient, lui sont devenus plutôt (car sa première formation ne l'y portait guère) des livres de chevet. Son hindouisme, tout simple, se résumait en le respect de la vache, où il voyait l'élément cardinal du *dharma* (p. 28) ; il disait aussi que si tous les textes disparaissaient et que seul subsistât la strophe initiale de l'*Îçâ-Upanishad* (« Tout ce qui se meut sur terre est pénétré par le Seigneur. Quand tu t'en seras détaché, tu trouveras la jouissance. Ne convoite le bien d'aucun homme ! »), l'hindouisme survivrait pour toujours.

Après la mort de Gandhi (1947), c'est Vinoba Bhave (1895-1982), son disciple, qui poursuit l'idéal de réformation sociale et individuelle ; mais il en modifie l'accent. Il insiste sur la nécessité pour les riches de donner aux déshérités une parcelle de leurs biens fonciers (c'est la campagne pour le *bhûdân* ou « don de terre », développée ensuite en diverses autres orientations) : le geste s'inscrit d'ailleurs dans la recherche de la Délivrance et le « chemin » du *karman.*

La *Mahâsabhâ* ou « Grand Collège », qui a combattu pour l'Inde libre, a voulu en même temps (c'était au fond le même combat) restaurer une Inde aussi purement hindouiste que possible ; l'un des fondateurs du mouvement, le Pandit *Mâlavîya*, né en 1861, appelé plus tard à diriger la *Benares Hindu University*, quand il participa à la Conférence de la Table Ronde en Angleterre, emporta une provision d'eau du Gange et de boue du Gange afin de préserver en pays étranger sa pureté rituelle.

Des professeurs de philosophie, des érudits de grande valeur comme S. N. Dâs Gupta, comme *Râdhâkrishnan* (1888-1975), ont tenté aussi, le second surtout, de délivrer un message universel, d'édifier une foi intersectaire, fondée sur leur expérience de l'Inde antique, sur leur atavisme hindouiste. Râdhâkrishnan se fonde sur le *Vedânta* pour transcender les antinomies entre absolu et non-absolu, entre Dieu et le monde, voire, entre philosophie et religion. Considérant que le fait religieux doit embrasser la totalité de l'homme, il veut d'autre part que ce fait se résolve lui-même en une *Weltanschauung* synthétisant le meilleur de l'humanisme européen et les valeurs hindouistes « épurées ». Enfin Tagore (1861-1941), poète, dramaturge, conteur, essayiste, quand il cherche à formuler les principes d'un humanisme oriental-occidental, recourt naturellement à cet ensemble inimitablement indien que constituent les réflexions sur l' « âme individuelle » et ses liens avec l'Absolu, sur la divinité immanente, sur le thème des renaissances, etc. Son œuvre qu'il veut séculière est imprégnée de religiosité ; il voit dans la *gâyatrî* (p. 81) la formule qui permet de porter au niveau de la conscience l'unité fondamentale de l'univers, de réaliser l'unité de toute vie en Dieu.

Quelque jugement qu'on porte sur ces hommes et sur leur œuvre, ils sont des Indiens ; ils sont à l'intérieur de la tradition, ils la vivent autant qu'ils l'explicitent par leur exemple ou leurs écrits.

L'hindouisme moderne est un phénomène vivant et complexe. Si les cultes populaires, sans grand apport spéculatif, sont demeurés quasiment intacts depuis des siècles, en revanche la population des villes a subi certaines influences occidentales, qui ont déterminé par contre-coup des réactions. A côté des intellectuels de type occidentalisé, il y a des *pandits* ou « lettrés » fidèles au sanskrit et à la tradition védique ou pseudo-védique. A côté des çivaïtes et vishnuites indifférenciés, il y a des « sectaires », adeptes de dieux ou de rituels spécialisés ; il y a aussi des réformistes qui suivent l'un des mouvements dont on vient de parler, lesquels constituent ce qu'on appelle à tort ou à raison le néo-hindouisme.

D'une manière générale, la tendance pousse à digérer les idées modernes, en les reclassant dans la pensée traditionnelle ; comme le dit M. Gonda, « la première marche vers l'urne électorale — temple de la déesse Inde — a revêtu l'aspect d'un pèlerinage, le communisme a été conçu comme une manière de religion matérialiste, etc. »

Un fait saillant est la tolérance : l'Inde actuelle est un Etat séculier, ne comportant aucune discrimination à base religieuse ; pourtant cette discrimination reste présente dans les esprits, ne serait-ce que par l'effet de la division en castes, laquelle, bien qu'officiellement abolie, n'en continue pas moins de peser sur le comportement social et individuel.

Et bien que le fondamentalisme ait été publiquement condamné, des membres de partis extrémistes, inspirés par lui, se livrent périodiquement à des déchaînements de violence, spécialement contre les musulmans et les chrétiens.

S'il fallait définir le néo-hindouisme, on pourrait (avec M. Gonda) dire qu'il enseigne à l'homme à clarifier son individualité, à réaliser le divin en soi, à donner pour sens à la vie la quête de la vérité éternelle. Ses adeptes pensent, non sans raison, qu'une telle conception serait mieux apte à résister aux remous de notre époque que les religions dogmatiques.

Enfin M. Louis Dumont a fort pertinemment défini l'hindouisme (en sa totalité) comme une religion du renoncement. A côté des structures religieuses propres à l'homme social, il a instauré le *samnyâsa* ou l'idéal du renonçant, qui se propose comme objet la vie hors du monde, vouée à la recherche de la délivrance. Il semble que ce soient en effet les valeurs du « renoncement » qui aient orienté la plupart des traits originaux de l'hindouisme classique : en particulier, la théorie de la rétribution des actes et de la transmigration, les cultes de dévotion, le développement des sectes, voire le tantrisme. Il est vrai qu'en contre-poids il n'y avait pas dans l'Inde de clergé organisé, point d'Eglise à proprement parler, ni de dogme contribuant à asseoir ou à justifier le rôle de la religion « dans le siècle ».

Nous pouvons en revanche, traiter par prétérition les mouvements (même ceux qui éventuellement se sont fixés dans l'Inde) émanant d'Occidentaux, — comme les sectes théosophiques, anthroposophistes, traditionalistes, les écoles de *Yoga* — qui prétendent expliquer l'hindouisme ou le réinterpréter. Le plus souvent ils n'arrivent à y puiser qu'une terminologie factice, des interprétations arbi-

traires, choisies au hasard parmi un ensemble dont les brèves pages qui précèdent font assez sentir la richesse immense, l'interpénétration des problèmes et des points de vue. L'Inde, ne l'oublions pas, est la terre bénie des charlatans. Si l'hindouisme devait avoir quelque avenir hors des frontières du pays où il est né, comme partie intégrante d'un large mouvement spirituel acceptable pour tous, ce serait au terme d'une réflexion directe, à partir de représentations authentiquement indiennes, conçues par des Indiens, que la chose pourrait se réaliser.

Statistiques

Situation des religions
Estimation pour une population de 1 milliard en 1999

Hindous	824 millions
Musulmans	117 –
Chrétiens	23 –
(catholiques : 15 millions ; protestants : 8 millions)	
Sikhs	20 –
Jainas	4,1 –
Bouddhistes	7,7 –
Croyances et religions diverses	4,3 –

BIBLIOGRAPHIE

A) Un certain nombre d'ouvrages généraux sur la civilisation indienne traitent, avec plus ou moins de détails, de faits religieux. Sont à relever notamment:

The History and Culture of the Indian People, Bombay, 1951 et suiv. (en cours, huit volumes déjà parus), par divers auteurs indiens.

L'Inde classique : Manuel des études indiennes, Paris, vol. I (1949), p. 270 et suiv., par L. RENOU, 2e éd., 1986.

Sur un plan plus restreint:

A. L. BASHAM, *The Wonder that was India*, Londres, 1954.

Louis FRÉDÉRIC, *Dictionnaire de la civilisation indienne*, Paris, Robert Laffont, 1985 (Bouquins).

Dictionnaire des mythologies, Paris, Flammarion : « Inde. Les mythologies. L'hindouisme », par M. BIARDEAU.

Die Mythologie der vedischer Religion und des Hinduismus, von VOLKER MOELLER, 1974.

Einführung in die Indologie, herausgegeben von Heinz BECHERT und Georg von SIMSON, Darmstadt, 1979.

B) Parmi les ouvrages consacrés à l'hindouisme (et parfois, simultanément, au bouddhisme), les plus notables, parmi ceux de date récente, sont :

The Cultural Heritage of India, 2e éd., Calcutta, vol. IV (1956) *The Religions*, par divers auteurs indiens.

Satishchandra CHATTERJEE, *The Fundamentals of Hinduism*, Calcutta, 1950.

H. von GLASENAPP, *Die Religionen Indiens*, Stuttgart, 1943.

The Religion of the Hindus, ed. by K. W. MORGAN, New York, 1953 (avec des textes).

Ch. ELIOT, *Hinduism and Buddhism*, 3 vol., Londres, 1954.

J. GONDA, *Die Religionen Indiens*. I : *Veda und älterer Hinduismus*, 1960 ; II : *Der jüngere Hinduismus*, 1963, Stuttgart ; aussi en trad. fr. (l'exposé le plus à jour), Paris, t. I, 1962 ; t. II, 1965.

C) Plus anciens, mais encore utiles à consulter, parfois même indispensables :

J. N. FARQUHAR, *An Outline of the Religious Literature of India*, Oxford, 1920.

R. G. BHANDARKAR, *Vaishnavism, Śaivism*, etc., Strasbourg, 1913.

W. CROOKE, Hinduism, dans *Encyclopaedia of Religion and Ethics*.

E. BALFOUR, *The Cyclopaedia of India*, éd. 1967.

D) D'une approche différente de l'approche usuelle, mais utiles ou suggestifs à divers titres sont :

Max WEBER, *Hinduismus und Buddhismus*, Tübingen, 1921 ; aussi en version angl., 1958 ; New York, 1960.

S. RADHAKRISHNAN, *The Hindu View of Life*, 2e éd., Londres, 1939.

D. S. VARMA, *What is Hinduism ?* Benarès, 1940.

O. LACOMBE, *Indianité. Etudes historiques et comparatives sur la pensée indienne*, Paris, Les Belles Lettres, 1979.

G. DELEURY, *Les grands mythes de l'Inde ou l'empreinte de la tortue*, Paris, Fayard, 1992.

Ch. MALAMOUD, *Rite et pensée dans l'Inde ancienne*, Paris, La Découverte, 1989.

Ch. MALAMOUD, *Cuire le monde*, Ed. La Découverte, 1989.

J. Filliozat, *Inde. Nation et traditions*, Paris, 1961.
— *Les philosophies de l'Inde*, coll. « Que sais-je ? », 1970.
C. Sivaramamurti, *L'art en Inde*, Paris, 1974.
G. Oberhammer, *Strukturen Yogischer Meditation*, Wien, 1977.
F. Edgerton, *The beginnings of Indian Philosophy*, London, 1965.
M. Biardeau, Ch. Malamoud, *Le sacrifice dans l'Inde ancienne*, Bibliothèque de l'Ecole pratique des Hautes Etudes, 1976.
— *L'hindouisme. Anthropologie d'une civilisation*, Paris, 1981.
— *Variations védiques autour de la Déesse hindoue*, Paris, 1989.
H. Zimmer, *Mythen und Symbole in indischer Kunst und Kultur*, Zurich, 1941 ; trad. fr., 1951. Payot.
— *Maya, Der indische Mythos*, Zurich, 1942.
— *Maya*, trad. fr. par Michèle Hulin, Paris, Fayard, 1987 (L'espace intérieur).
A. Daniélou, *Le polythéisme hindou*, Paris, 1960 ; aussi en version angl., 1961.
G. Dumézil, *Mythe et épopée*, I, Paris, Gallimard, 1968; II, 1971.

E) Parmi les monographies de date récente ou relativement récente :

J. Gonda, *Aspects of Early Vishnuism*, Utrecht, 1954.
— *Change and Continuity in Indian Religion*, La Haye, 1965.
J. J. Meyer, *Trilogie altindischer Mächte und Feste der Vegetation*, Zurich-Leipzig, 1937.
S. B. Dasgupta, *Obscure Religious Cults*, Calcutta, 1946.
W. Ruben, *Krishna. Konkordanz und Kommentar der Motive seines Heldenlebens*, Istanbul, 1944.
M. Eliade, *Le Yoga, immortalité et liberté*, Paris, 1954.
S. K. De, *Early History of the Vaishnava Faith and Movement in Bengal*, Calcutta, 1942.
J. N. Banerjea, *The Development of Hindu Iconography*, 2ᵉ éd., Calcutta, 1956.
D. S. Sarma, *Studies in the Renaissance of Hinduism*, Benarès, 1944.
A. Avalon, [divers ouvrages sur le Tantrisme], Londres, à partir de 1914.
L. Dumont, *Le renoncement dans les religions de l'Inde*, Archives de Sociol. des religions, 1959.

F) Divers :

J. Dawson, *A Classical Dictionary of Hindu Mythology and Religion*, Londres, 1928.
Rabindranath Tagore, *Sâdhanâ*, Calcutta, 1913 (texte anglais), tr. fr., Gallimard.
M. et J. Stutley, *A Dictionary of Hinduism...*, London, 1977.

G) Choix de textes traduits :

H. von Glasenapp, *Indische Geisteswelt*, 2 vol., Baden-Baden, 1958.
L. Renou, *Anthologie sanskrite*, Paris, 1947.
Du même, *Hinduism*, New York, 1961.
Sanâtana Dharma : An Advanced Text-book of Hindu Religion and Ethics, 2ᵉ éd., Benarès, 1904.
Sources of Indian Tradition, New York, 1958, par divers traducteurs.
L'hindouisme, textes recueillis et présentés par A.-M. Esnoul, Fayard-Denoël, 1972.
The Sacred Books of the East, Oxford, depuis 1879.
The Sacred Books of the Hindus, Allahabad, depuis 1905.

TABLE DES MATIÈRES

Imprimé en France
par Vendôme Impressions
Groupe Landais
73, avenue Ronsard, 41100 Vendôme
Août 2004 — N° 51 569